L'accompagnatrice

D0957238

NINA BERBEROVA

Nina Berberova

L'accompagnatrice

Traduit du russe
par Lydia Chweitzer

Éditions J'ai lu

Ces Mémoires m'ont été procurés par Monsieur Z. R. Il les avait achetés à un brocanteur de la rue de la Roquette en même temps qu'une vieille gravure représentant la ville de Pskov en 1775 et une lampe de bronze qui avait dû marcher au pétrole, mais était maintenant munie d'un fil électrique fort correct. En achetant la gravure, Monsieur Z. R. demanda au brocanteur s'il n'avait pas autre chose de russe. « J'en ai », dit le vendeur, et il sortit de l'armoire poussiéreuse qui se trouvait dans le coin de la vieille boutique un cahier de moleskine, de cette espèce qui, de tout temps, a servi aux personnes, jeunes de préférence, à tenir leur journal.

Le brocanteur expliqua que, cinq ans auparavant, il avait acheté ce cahier pour cinquante centimes, en même temps que des partitions et deux ou trois livres russes (que, malheureusement, il ne put retrouver), dans un hôtel de bas étage où une Russe avait vécu et où elle est morte. Pour récupérer le prix de la chambre, la patronne de l'hôtel bazardait ses robes, son linge et d'autres objets – tout ce qui reste lorsque disparaît une femme.

Monsieur Z. R. écouta tout cela d'abord, il ouvrit le cahier ensuite. Les lignes qui lui tombèrent sous les yeux l'intéressèrent ; après avoir payé, il prit la lampe dans une main, la gravure dans l'autre, et il serra le cahier sous son bras. Rentré chez lui, il le lut jusqu'au bout et ne reconnut pas qui en était l'auteur.

Dans ces Mémoires, j'ai modifié certaines choses, parce que tout le monde peut ne pas être aussi peu avisé. Celle qui avait écrit et n'avait pas brûlé ce cahier avait vécu parmi nous, beaucoup de gens la connaissaient, l'avaient vue et entendue. Il semble que la mort l'ait prise au dépourvu. Si c'était une maladie, c'était une maladie violente et brève, pendant laquelle il fut déjà impossible de mettre de l'ordre dans les affaires quotidiennes ; si c'était un suicide — il était tellement soudain qu'il ne laissa pas à la défunte le temps de régler quelques comptes...

Quoi qu'il en soit, elle oublia ce cahier comme le voyageur oublie un paquet en sautant du train en marche.

C'est aujourd'hui le premier anniversaire de la mort de maman. Plusieurs fois, à voix haute, j'ai prononcé ce mot : mes lèvres en avaient perdu l'habitude. C'était bizarre et agréable. C'est passé ensuite. Certaines personnes appellent « maman » leur belle-mère, d'autres désignent ainsi la mère de leur mari ; un jour, j'ai entendu un monsieur d'un certain âge appeler « petite maman » sa femme, qui était d'une dizaine d'années plus jeune que lui. Je n'ai eu qu'une seule maman et je n'en aurai jamais d'autre. Elle s'appelait Catherina Vassilievna Antonovskaya. Elle avait trente-sept ans quand je suis née, et je fus son premier et unique enfant.

Elle était professeur de piano, et aucun de ses élèves ne fut au courant de ma venue au monde – on avait su seulement qu'elle avait été gravement malade durant toute une année, qu'elle était partie quelque part. Les élèves, garçons et filles, attendaient patiemment qu'elle fût de retour. Avant ma naissance, certains venaient à la maison. Après mon apparition, maman cessa de les recevoir chez elle. Elle était absente de la maison des journées entières. Une vieille bonne s'occupait de moi. L'appartement était petit, il n'y avait que deux pièces. La bonne couchait dans la cuisine, maman et moi dans la chambre à coucher, et l'autre pièce était occupée par le piano, nous l'appelions la salle de piano. Nous y prenions aussi nos repas. Le jour de l'an, les élèves garçons envoyaient à maman des fleurs, les jeunes filles lui faisaient cadeau de portraits de Beethoven, de masques de Liszt et de Chopin. Un dimanche, dans la rue – je devais avoir neuf ans –, les deux sœurs Svetchnikov, qui terminaient leurs études au Lycée, se trouvèrent devant nous. Elles se mirent à embrasser et à serrer maman si fort que je criai de peur.

– Qui est-ce, mignonne Catiche Vassilievna ? demandèrent les demoiselles.

– C'est ma fillette, répondit maman.

Dès ce jour, tout se sut et, une semaine, maman perdit trois leçons ; un mois plus tard, il ne lui restait que Mitenka.

Il était complètement indifférent aux parents de Mitenka de savoir si maman était mariée ou non, et combien elle avait d'enfants, et de qui exactement. Mitenka était un garçon doué, on payait bien, mais il était impossible de vivre du seul Mitenka. Nous congédiâmes la bonne, nous vendîmes le piano, et sans attendre davantage nous partîmes pour Pétersbourg. Il se trouva là quelques relations datant du Conservatoire. Là aussi on aimait maman. Lentement, avec application, elle alla vers la conquête de la vie pour elle-même et pour moi. Et dès le premier hiver elle se mit à trotter toute la journée, dans la pluie et dans le gel. Moi, elle me fit entrer au Conservatoire, en classe préparatoire. A cette époque, je jouais déjà tout à fait correctement.

Il ne me venait pas à l'esprit de réfléchir à ce que maman avait éprouvé en quittant sa ville natale où, jadis, elle avait grandi, seule avec sa mère, professeur de musique elle aussi. Son père – mon grand-père – était mort de bonne heure et elles étaient toutes deux comme nous l'étions maintenant, et tout était très ressemblant, sauf qu'il n'y avait pas de honte. Quand elle eut seize ans, grand-mère l'envoya faire ses études à Pétersbourg. Elle termina ses classes au Conservatoire, revint à N., donna un concert, joua dans les soirées de bienfaisance, et commença, petit à petit, à s'occuper des jeunes débutants.

Je ne me demandais jamais comment elle avait vécu seule, après la mort de sa mère, comment elle approcha de la trentaine, ni ce qu'il y eut après, ni qui était mon père. Les tiroirs de son bureau n'étaient pas fermés, mais jamais il ne m'est tombé sous la main une lettre ou une photographie. Je me rappelle qu'une fois, étant toute petite, je lui demandai si j'avais un papa. Elle dit :

– Non, ma Sonetchka, nous n'avons pas de papa. Notre papa est mort.

Elle avait bien dit « notre », et nous pleurâmes un peu ensemble.

J'appris tout à son sujet d'une façon très simple. J'avais quinze ans lorsqu'une amie de maman, professeur de français au lycée de N., vint à Pétersbourg. C'était le soir, vers six heures. Maman était sortie. J'étais allongée sur un petit canapé et je lisais Tolstoï. On sonne. Des embrassades. Des exclamations. « Mais comme tu as changé ! Mais comme tu es devenue grande ! »

Nous restâmes seules assez longtemps ; c'était le soir ; la lampe était allumée, quelqu'un chantait derrière la cloison. Nous parlions, nous évoquions les années lointaines à N., mon enfance.

Il arriva je ne sais comment qu'elle me raconta que mon père était un ancien élève de maman et qu'il n'avait, à l'époque, que dix-neuf ans. Et qu'avant lui, elle n'avait aimé personne. Maintenant, il était marié et avait déjà des enfants. Je ne demandai ni son prénom ni son nom de famille.

Maman rentra. Elle avait maintenant plus de cinquante ans, elle était petite et blanche, comme le sont, il est vrai, la plupart des mamans. Des taches brunes apparaissaient sur ses mains, on ne sait pourquoi. Je ne comprenais pas moi-même ce qui m'arrivait. J'avais pitié d'elle, tellement pitié que j'avais envie de me coucher et de pleurer, et de ne pas me relever jusqu'à ce que toute mon âme se vide en sanglots. Je me sentais perdre la tête en pensant à l'outrageur : s'il était venu, je me serais jetée sur lui, je lui aurais crevé les yeux, je l'aurais mordu au visage. Mais en plus de cela, j'avais honte. Je compris que maman était ma honte, de même que j'étais la sienne. Et que toute notre vie était une irréparable « honte ».

Mais cela se passa. Au Conservatoire, jamais personne ne me questionna sur mon père – il est vrai que je ne me liai intimement avec personne. C'était la guerre. Je devins adulte. Peu à peu, je m'accoutumais à l'idée qu'il me faudrait, dans la vie, choisir une voie laborieuse – quant au métier, j'en avais déjà un.

J'ai qualifié mon père d'« outrageur ». Plus tard, je compris que ce n'était pas cela. Il avait dix-neuf ans. Pour lui, ma mère n'était qu'une étape vers la maturité définitive. Il ne soupçonna sans doute même pas qu'à son âge elle était vierge. Mais elle ? Avec combien de passion, et combien de désespoir malgré l'intimité, devait-elle l'aimer pour avoir accepté une liaison avec un homme qui aurait pu être son fils, et pour engendrer une fille de cette liaison – brève et unique dans sa vie. Et que lui restait-il, de tout cela, dans la mémoire et dans le cœur ?

Et puis ce fut la révolution. Pour chacun, l'autre existence se termina à un moment différent. Pour l'un, lorsqu'à Sébastopol il monta à bord d'un bateau. Pour un autre, quand les soldats de Boudenny entrèrent dans une bourgade des steppes. Pour moi – au milieu de l'existence paisible de Pétersbourg. Il n'y avait pas de cours au Conservatoire. Mitenka, qui traînait à Pétersbourg depuis un mois déjà (il était venu étudier la composition), arriva chez nous le

25 octobre dès le matin. Maman avait la grippe. Mitenka joua du piano, puis nous déjeunâmes, puis Mitenka s'endormit. Oh, comme je me souviens de cette journée ! Je ne sais pourquoi, je n'en finissais pas de coudre quelque chose. Le soir nous jouâmes aux cartes tous les trois. Et je me souviens même que pour le dîner il y avait du bœuf aux choux.

Mitenka – fils de riches négociants de N. – était le seul élève de maman conservé, pour ainsi dire, depuis le temps de la « honte ». C'était un jeune homme flegmatique, de trois ans mon aîné, complètement indifférent à l'existence en général et à soi-même en particulier. Il avait des bizarreries : il était distrait et somnolent, les précepteurs avaient eu du mal à lui inculquer des habitudes de propreté. Ce n'était pas qu'il fût attaché à la musique – il était plutôt le véhicule d'une espèce de sons désordonnés qui, à travers lui, s'arrachaient au néant pour devenir réalité. Entré en classe de composition, il étonna tout le monde par ses idées avancées, révolutionnaires. Mais dans la conversation il se montrait incapable, ne pouvait ni expliquer quoi que ce soit, ni défendre ses vues. Maman se désespérait de plus en plus de ces cacophonies qui prenaient possession de lui, obtuses et effrayantes.

Moi, il m'était indifférent. Pendant cet automne, après tant d'années de séparation avec N., je le vis, à vrai dire, pour la première fois. Il avait vingt ans. Il n'était pas beau, sa barbe poussait, qu'il ne rasait pas toujours ; mais les cheveux commençaient déjà à s'éclaircir. De plus, il portait un grand lorgnon cerclé d'argent, parlait du nez, et quand il écoutait, reniflait très fort. Mais il aimait beaucoup maman. Il s'excusait de ses chorals sur les paroles de Khlebnikov et disait qu'un temps viendrait où il n'y aurait plus rien – ni routes, ni ponts, ni canalisations –, rien que de la musique.

Mes relations du Conservatoire qui venaient chez nous tenaient Mitenka pour un crétin, mais personne ne mettait son génie en doute. Moi, je n'avais besoin ni de ses chorals ni de sa gentillesse. J'étais préoccupée par les événements, j'étais préoccupée par l'avenir, j'étais préoccupée surtout par un certain Evguéni Ivanovitch, employé au secrétariat du Conservatoire, parti pour Moscou, et avec qui, un mois auparavant j'avais eu la conversation suivante :

Lui : Etes-vous perspicace ?

Moi : Je pense que oui.

– Il y a une chose que je voudrais vous dire, mais je ne peux pas. Il faut que vous deviniez.

– Bon.

Mon cœur battait.

– Maintenant, répondez : oui ou non ?

– Oui...

Cependant, ce n'est pas à Evguéni Ivanovitch, mais à ce même Mitenka, pâle et simplet, que fut imparti d'imprimer un tournant à mon existence. Evguéni Ivanovitch partit pour Moscou et ne revint plus. Il ne justifia pas mes espérances quant à mon mariage avec lui. Pendant cet hiver, quand je me remémorais notre conversation, quand j'espérais encore qu'il écrirait, qu'il reviendrait, je me mettais à croire, par moments, qu'il ne m'avait point fait de déclaration d'amour, qu'il avait en vue quelque chose de tout à fait différent : de me demander, par exemple, de lui prêter un peu d'argent, ou de transmettre ses salutations à quelqu'un dont il était, peut-être, amoureux. Mais n'y pensons plus ! Considérons une rencontre qui me devint « fatale ». Pendant l'hiver 1919, Mitenka me mit en relation avec Maria Nikolaevna Travina.

J'avais dix-huit ans. J'avais terminé mes études au Conservatoire. Je n'étais ni intelligente ni belle ; je n'avais pas de robes coûteuses, pas de talent sortant de l'ordinaire. Bref, je ne représentais rien. La famine commençait. Les rêves que maman avait faits de me voir donner des leçons ne se réalisaient pas ; maintenant, il y avait à peine assez de leçons pour elle. Moi, il m'arrivait de tomber sur un travail occasionnel dans quelque soirée musicale, dans des usines et des clubs. Je me rappelle que, plusieurs fois, pour du savon et du saindoux, j'étais allée jouer de la musique de danse, des nuits entières, quelque part dans le port. Vint ensuite un travail régulier – tous les samedis – pour du pain et du sucre, dans un club de cheminots, près des ateliers Nikolaïev. Je jouais d'abord l'*Internationale*, puis du Bach, puis du Rimsky-Korsakov, puis du Beethoven, puis les « chorals » de Mitenka (qui devenaient alors à la mode). Mais je ne pouvais vivre du seul travail du samedi. Et je trouvai un chanteur qui avait besoin d'une accompagnatrice – cela me prit trois heures par jour –, le chemin était long, il n'y avait pas de tramways. Le temps qu'il me fasse inscrire sur les registres administratifs pour toucher les rations, deux mois s'étaient écoulés. Enfin, cela aussi s'arrangea.

Le chanteur était un baryton assez connu autrefois. A présent, il approchait des soixante-dix ans, il sentait le tabac gris et la cave, ses mains étaient noires d'avoir fendu le bois et travaillé à la cuisine. Il maigrissait tellement que, de mois en mois, ses vêtements pendaient plus bas, aux genoux et aux coudes ils devenaient plus clairs, leurs boutons se détachaient. Il ne se lavait jamais, se rasait de temps en temps le menton et la lèvre, et alors il se mettait tellement de talc qu'il saupoudrait tout autour de lui. Et j'avais l'impression que c'était le crépi qui tombait de lui comme d'un mur vétuste et croulant, et qu'il sentait non pas la cave, mais tout simplement la terre humide.

— Sonetchka, me disait-il, pourquoi donc êtes-vous si mince ? On n'arrive à rien avec sa jeunesse seulement. Il faut avoir des formes, des formes ! Et vous, vous avez une patte de poulet, une gambette de chèvre, une poitrine de chat. Qu'allez-vous devenir, ma petite enfant, avec une tournure pareille !

Il se désolait sincèrement pour mon avenir. Quant à moi, j'étais contente d'avoir, avec lui, appris le répertoire, et d'apporter à la maison des sacs de provisions... Un jour, en hiver, il prit froid et s'alita. Immédiatement, tout, dans son appartement, tomba en décrépitude : les conduites d'eau gelèrent, il fit deux degrés dans la chambre, des cordes du piano sautèrent, il n'y eut plus de pétrole. Le syndicat envoya un médecin. Je continuai à venir tous les jours. Des amis, des dames se manifestèrent. De la semoule de blé apparut. On m'envoyait chez les voisins chercher du sel, je courais au centre distributeur pour avoir de la marmelade. Puis tout fut terminé : il mourut sur ses draps sales, sur sa taie d'oreiller déchirée, et il y eut beaucoup de tracas avec son enterrement ; durs étaient ces soins à donner au mort.

Je restai sans travail ; mes bottes étaient taillées dans un tapis, ma robe dans une nappe, la pelisse dans la cape de maman et le chapeau dans un coussin brodé d'or. Je pouvais vivre, mais je pouvais aussi mourir, tout m'était, de quelque façon, indifférent. Maman me dévisageait avec curiosité et tristesse. Mitenka soufflait du nez et restait tard, me regardant ravauder, prendre le thé, jouer du piano ou lire sans lui prêter attention. Un soir, il vint, l'air quelque peu recueilli : Maria Nikolaevna Travina cherchait une accompagnatrice, et cela non pas à titre provisoire, mais pour toujours, pour partir, à l'étranger peut-être.

Mitenka était recueilli parce que,

d'abord, il cherchait à exposer, d'une façon sensée et cohérente, les conditions du travail et que cela, comme tout ce qui était quotidien, lui était un peu difficile. Et puis, il avait de la peine, il avait de la peine de me voir quitter maman et lui-même ; il n'aimait aucun changement dans l'existence.

Maman fut d'abord désemparée. Elle n'avait jamais quitté sa mère, mais sa vie fut malheureuse. Peut-être valait-il mieux pour moi devenir non pas professeur de piano, mais accompagnatrice, m'arracher à elle, vivre à ma manière ? Je la regardai. C'était déjà une vieille femme, devenue, ces dernières années, petite et maigre, les yeux comme éteints et les cheveux gris, et qui, parfois, ne trouvait plus les mots dont elle avait besoin. Elle ne pouvait pas me servir de conseillère, d'appui. Je me regardai du dehors – je ne pouvais en rien l'aider, autrefois j'étais un obstacle dans sa vie, et maintenant, je n'étais pas une consolation. Quelque chose me disait confusément que le bonheur ne lui viendrait jamais de moi. M'aimait-elle ? Oui, elle m'aimait, mais il y avait dans cet amour une espèce de pitoyable fêlure, et quand elle m'embrassait, j'avais toujours l'impression qu'elle essayait d'effacer cette fêlure – pour elle, pour moi, pour Mitenka, pour le bon Dieu, je ne sais pour qui encore.

Je me taisais. Mitenka était assis les mains étalées sur la table et traînait avec ses explications : on me proposait un emploi, un emploi stable, avec un salaire, avec un dîner ; on m'emmènerait à Moscou, en province, je vivrais comme si j'étais « de la famille ».

– Comme femme de chambre ? Comme

dame de compagnie ? demandai-je tout à coup avec une curiosité rageuse.

Mitenka se mit même à rire, maman sourit aussi. Il fallait se réjouir, or il n'y avait pas de joie. Mais les pendules aussi marchent sans joie, et la pluie tombe sans joie et cependant quelle stabilité... Comme il est beau, l'univers de Dieu, et comme tout y est organisé avec justesse !

Et me voilà, ayant mis mes bottes de tapis et tout mon habillement de mascarade particulier à cette époque, et dans lequel je ressemblais à un adolescent décoloré, fané, d'une tribu asiatique et nomade –, me voilà partie chez Maria Nikolaevna Travina.

Pétersbourg. Année mil neuf cent dix-neuf. Les grands tas de neige. Le silence. Le froid et la faim. Le ventre gonflé de gruau d'orge. Les pieds qu'on n'a pas lavés depuis un mois. Les fenêtres bouchées avec des chiffons. La suie liquide des poêles. J'entre dans l'immeuble. Un immense immeuble sur la Fourchtadskaya. L'ascenseur suspendu entre les étages. Dedans – des immondices gelées. Une porte au deuxième étage. Je frappe. Personne. Je sonne. A mon étonnement, le timbre retentit. Une femme de chambre – coiffe et souliers fins – ouvre la porte. Il fait chaud. Mon Dieu, il fait chaud ! Non, ce n'est pas croyable – un immense poêle en carreaux de faïence chauffe à tel point qu'on ne peut en approcher. Des tapis. Des rideaux. Des fleurs naturelles – des jacinthes bleues – dans une corbeille posée sur un guéridon. Un coffret de cigarettes précieuses. Un chat bleu fumée, presque aussi bleu que les jacinthes, fait le gros dos en me voyant, et une femme vêtue on ne sait pourquoi d'une robe blanche – ou d'une robe de chambre (je ne distingue pas), à moins que ce ne soit ce que l'on met sous la robe – vient vers moi en souriant, me tend une main aux ongles longs et roses. Et ses bas sont roses aussi. Des bas roses !

Elle avait dix ans de plus que moi et, bien entendu, ne le cachait pas, parce qu'elle est belle, et moi pas. Elle est grande, elle a un corps sain et robuste, qui s'est développé naturellement et librement – moi, je suis petite, sèche, d'apparence maladive bien que je ne sois jamais malade. Elle a des cheveux noirs et lisses, coiffés en chignon sur la nuque – moi, j'ai les cheveux clairs, ternes, je les coupe et les fais friser tant bien que mal. Elle a le visage rond et beau, la bouche grande, le sourire d'un charme ineffable, les yeux noirs aux reflets verts, moi j'ai les yeux clairs, le visage triangulaire aux pommettes saillantes, les dents petites et espacées. Elle se déplace, elle parle, elle chante d'une manière si assurée, ses mains accompagnent ses paroles et ses mouvements d'une façon si calme, si égale, elle garde en elle une espèce de chaleur, d'étincelle – divine ou diabolique –, elle a le oui et le non précis. Autour de moi, je le sens, se forme parfois un brumeux nuage d'incertitude, d'indifférence, d'ennui, dans lequel je frémis comme un insecte de nuit frémit dans la lumière solaire avant de devenir aveugle ou de se figer. Et quand nous paraissions sur l'estrade – elle devant, rayonnante de santé et de beauté, souriant et saluant sans effort, sans rien de compassé, et moi derrière – la robe toujours légèrement fripée, moi qui étais un peu desséchée et qui saluais aussi en m'inclinant et en essayant de tenir mes mains comme ci et non comme ça, quand nous paraissions toutes les deux. « Eh bien, que veux-tu encore – me disais-je –, eh bien, que veux-tu encore dans cette vie ? Régler tes comptes ? Prendre ta revanche ? Comment ? Contre qui, d'ailleurs ? Il faut filer doux, plus muette que l'eau, plus basse que l'herbe. Dans cette vie-là, on ne règle pas les comptes. Quant à la vie future, elle n'existe pas ! »

Elle m'installa dans un fauteuil, me prit les mains, puis, pour que je n'aie pas trop chaud, déboutonna elle-même mon col. Ensuite elle me dit d'enlever mon manteau, sonna la femme de chambre et commanda du thé. Elle me regardait avec une attention indicible, il y avait dans son regard de la sollicitude – de la sollicitude et de la curiosité. Au début, elle ne faisait que questionner : quel était mon âge, comment j'étais, ce que j'aimais, serais-je d'accord pour partir avec elle, s'il le fallait ? Puis, lorsqu'on apporta le thé, elle me servit et se servit elle-même, posa sur mon assiette de minces tranches de pain blanc beurrées, recouvertes de jambon et de fromage, et se mit à parler en se détournant légèrement, pour ne pas me gêner. Et moi, je mangeais, je mangeais, je mangeais.

– Il y a longtemps que je connais de nom votre maman, Sonetchka, disait-elle. Je vais vous appeler Sonetchka, parce que vous êtes encore tout à fait petite fille, et c'est ce qui, pour être franche, est la seule chose qui, peut-être, m'effraie en vous, non, elle ne m'effraie pas, mais m'inquiète un peu. N'allez-vous pas vous ennuyer avec moi ?

N'aurez-vous pas envie de retourner à la maison, à Pétersbourg – c'est que nous pourrions partir loin, très loin... Vous n'imaginez sans doute même pas comme nous pourrions aller loin.

» Je travaille beaucoup. Quatre heures par jour quoi qu'il arrive, sans laisser-aller pour moi-même, donc pour vous non plus. Et puis les concerts. C'est que ce sera une véritable tournée, ma première véritable tournée, et il faut qu'elle soit réussie.

Je fis un geste.

– On ne me connaît qu'à Pétersbourg, poursuivit-elle, l'ayant remarqué. Je veux davantage. Je suis très ambitieuse. Sans ambition il n'y a pas de talent ; il faut être ambitieuse, Sonetchka, et je vous apprendrai à l'être.

Je tressaillis, mais cette fois elle ne remarqua rien.

Elle parlait. J'écoutais. Je comprenais que la vie pouvait nous unir pour de longues années, que cette conversation ne se reproduirait pas – cela arrive : plus les gens prennent l'habitude de vivre ensemble, plus sûrement perdent-ils le besoin de parler d'eux-mêmes. Cette conversation pouvait rester unique, je le sentais, et cependant je m'endormais, je savais que j'allais m'endormir tout de suite.

Je me persuadais qu'il me fallait saisir chaque mot, que tout cela me servirait un jour, plus tard. Entre nous, une lampe basse s'illumina sous un abat-jour de soie, les rideaux aux fenêtres cachèrent un crépuscule blanc, une voix grave et tendre coulait au-dessus de moi, le parfum embaumait, mes lèvres gardaient encore le contact récent du gras de jambon, mince et frais. Mes jambes étaient devenues lourdes, je les avais posées devant moi comme des bornes et les avais presque oubliées, flottant dans une douce somnolence où des ombres venaient au-devant de mes yeux fatigués, me prenaient les mains, entouraient mes épaules, posaient sur mon visage des mains impondérables et tièdes et me balançaient lentement la tête, pendant que j'essayais, par un effort surnaturel, de garder ouverts mes yeux ivres de chaleur et de satiété.

Elle parlait maintenant de ses années d'études, de son mariage, de ses récitals en province pendant la guerre ; elle disait que la vie, toute la vie était encore devant elle, « et devant vous aussi, Sonetchka », ajouta-t-elle, des pays d'outre-mer où, peut-être, « peu-eut-être », nous irions un jour, de Moscou, de Nejdanova, des romances que Mitenka lui avait dédiées, et de beaucoup, beaucoup d'autres choses, jusqu'à ce qu'elle vît que je la regardais d'un œil immobile et lourd.

— Je vous ai complètement étourdie de paroles, amie chère ! s'écria-t-elle. Pardonnez-moi.

Je me levai. Elle me donna des partitions, me dit de revenir le surlendemain, et m'accompagna jusqu'à la porte. Et là, en me prenant dans ses bras, elle m'embrassa sur les deux joues.

En sortant de chez Maria Nikolaevna, je vis que la soirée était très avancée, il faisait nuit noire, il neigeait. Le vent qui glaçait mon visage humide chassa aussitôt mon envie de dormir. Ce que je venais de voir, je le voyais pour la première fois, et les paroles que je venais d'entendre étaient pour moi parfaitement nouvelles. Qu'y avait-il en elles ? Rien de spécial, et, surtout, je ne m'en souvenais même pas, et je les avais à peine comprises, mais la façon dont on m'avait parlé et la personne qui, justement, m'avait parlé, étaient extraordinaires. Jamais encore dans ma vie je n'avais rencontré une femme semblable – il me venait d'elle comme un souffle d'une espèce d'équilibre mystérieux, beau et triomphant.

Mais quand je pensais aux jacinthes, à la femme de chambre, à la chaleur et à la propreté, quelque chose se révoltait en moi, et je me demandais : Est-il possible que tout cela existe réellement et qu'il ne se trouve rien pour en venir à bout ? Il s'est bien trouvé quelque chose pour venir à bout de maman et de moi, de mon chanteur, des milliers d'autres qui ont les doigts gelés, les dents qui s'effritent et les cheveux qui tombent – de faim, de froid, de peur et de saleté, est-il possible, camarades tchékistes, qu'il ne se trouve rien pour avoir raison de cet appartement, de cette femme, de ce chat bleu fumée, et que personne ne fasse loger dans ce salon la famille pouilleuse de quelque ajusteur qui se servirait du piano comme d'un W.-C., et elle, on l'obligerait le matin à le nettoyer, avec ses mains roses, et cela s'appellerait « service civique » ? Est-il possible que tout cela demeure tel qu'il est ? Et nous autres, les loqueteux, les dépouillés, les affamés, les rompus, nous allons supporter tout cela ? Le fromage de Hollande, et dans le poêle la grosse bûche avec sa croûte brune, et dans la soucoupe le lait où minet va tremper sa langue ?

Et de ces pensées, j'avais chaud dans la poitrine, les larmes et la neige gelaient sur mon nez et sur mes joues, je les essuyais du revers de la manche et, les partitions sous le bras, je courais plus loin, sans faire de bruit avec mes bottes de tapis. Et à travers cette haine et cette amertume qui, pour la première fois dans ma vie, me vinrent avec cette force, et dans lesquelles je me sentis respirer plus librement que dans ma doucereuse et fluide indifférence envers tout, je pensai soudain à elle-même, à Maria Nikolaevna Travina, qui m'avait embrassée sur les deux joues, qui m'avait regardée avec attention et tendresse. Elle m'apparaissait comme une perfection tellement saugrenue, tellement inconcevable, que je pleurais encore plus fort, en sanglotant, et je courais, je courais le long de la rue, ne sachant pas moi-même pourquoi je courais, ni où, ni quel besoin j'avais maintenant de notre maison, de notre chambre, de maman, ni ce que j'étais moi-même, et puis cette ville – pour quoi faire ? Et qu'est-ce que la vie ? Et Dieu ? Où est-il ? Pourquoi ne nous a-t-il pas tous faits tels qu'elle il l'avait faite ?

Le lendemain, je me mis au piano dès le matin. Les partitions étaient des plus variées : il y avait des airs d'opéra, des romances de Glinka, et de la musique contemporaine, et des espèces de vocalises particulières, que je n'avais jamais entendues. Je travaillai toute la journée et le matin suivant. Le lendemain, à trois heures, j'étais rue Fourchtadskaya. Le piano était un magnifique Blüthner de concert. Maria Nikolaevna fit des vocalises pendant près d'une heure, puis je bus du thé avec de la brioche et, sur sa demande, je lui jouai du Schubert. Elle écouta et remercia. Pendant ce temps, le téléphone sonna deux fois dans la chambre à côté où quelqu'un répondit, mais on ne vint pas la chercher. Puis elle chanta, elle chanta...

Je sais, il y a des gens qui n'admettent

pas le chant : une personne prend la pose, ouvre la bouche toute grande (d'une façon naturelle – et alors c'est laid, ou d'une façon étudiée – et alors c'est grotesque) et, tout en s'efforçant de conserver sur le visage une expression d'aisance, d'inspiration et de pudeur, crie (ou rugit) longuement des paroles dont l'agencement n'est pas toujours réussi et qui sont, parfois, accélérées sans aucune raison, ou bien découpées en morceaux, comme pour une charade, ou encore répétées plusieurs fois de façon inepte.

Mais lorsque, après une aspiration (nullement affectée, mais aussi simple que lorsque nous aspirons l'air des montagnes à la fenêtre d'un wagon), elle entrouvrit ses lèvres fortes et belles, et qu'un son fort et puissant, plein jusqu'aux bords, retentit soudain au-dessus de moi, je compris tout à coup que c'était justement cette chose immortelle et indiscutable qui serre le cœur et fait que le rêve d'avoir des ailes devient réalité pour l'être humain débarrassé soudain de toute sa pesanteur. Une espèce de joie dans les larmes me saisit. Mes doigts frémirent, égarés parmi les touches noires ; craignant de la décevoir, dans les débuts, quant à mon application, je comptais en moi-même, mais je sentais qu'un spasme parcourait ma colonne vertébrale. C'était un soprano dramatique, avec les notes aiguës stables et merveilleuses, et les basses profondes et claires.

— Encore une fois, Sonetchka, dit-elle, et nous répétâmes l'air.

Je ne me rappelle pas ce que c'était. Je crois que c'était l'air d'Elisabeth de *Tannhäuser*.

Puis elle se reposa cinq minutes, caressa le chat, but une demi-tasse de thé refroidi, me fit raconter N., mon enfance. Mais je n'avais rien à raconter. Mitenka, peut-être ? Oh, non ! Surtout pas Mitenka. Dieu merci, elle le connaît bien, son mari est le cousin germain de la mère de Mitenka. Pour avoir du talent, il en a, mais il lui arrive de ne pas pouvoir se rappeler son propre nom.

Et de nouveau elle chanta, et moi, avec application, mais encore avec prudence et timidité, je l'accompagnais dans ce miracle qui rappelait l'envol et le vol, et il y avait des moments où, de nouveau, une aiguille entrait dans mon cœur et me transperçait tout entière. Plusieurs fois, elle s'interrompit, me donna des indications, me demanda de recommencer. Elle m'observait, elle m'écoutait. Etait-elle contente de moi ?

A six heures et demie, la sonnette retentit avec force.

— Attendez, me dit Maria Nikolaevna. C'est pour moi.

Elle alla dans l'entrée et je l'entendis ouvrir elle-même la porte.

— J'ai appelé deux fois, dit une forte voix d'homme, mais on m'a déclaré que vous étiez occupée et ne pouviez répondre. Qu'est-ce que cela veut dire ? Est-il tellement difficile de répondre au téléphone ?

— Doucement, doucement, Senia, répondit-elle, j'ai ma leçon, ma répétition. J'ai l'accompagnatrice.

— Au diable tout le monde ! Je t'ai appelée pour t'emmener en promenade. La voiture est en bas. Je la voulais pour quatre heures, mais j'ai été retenu, à cinq heures il n'y avait pas de chauffeur. Je viens seulement de m'en sortir.

– Il va être sept heures. Où veux-tu aller ? Pavel Fédorovitch va rentrer d'un instant à l'autre.

L'homme avait dû vouloir répondre, mais je sentis qu'elle lui mettait la main sur la bouche. On chuchotait. Puis tout devint silencieux. Maria Nikolaevna revint au salon.

Et en effet, un quart d'heure à peine s'était écoulé lorsque Pavel Fédorovitch revint à la maison.

– Mon mari, dit Maria Nikolaevna en se levant pour l'accueillir. Sonetchka Antonovskaya.

Et nous nous serrâmes la main.

J'eus à peine le temps de penser que, voilà, je venais de faire connaissance d'un homme et que, déjà, j'avais un secret qu'il ne connaissait pas, que j'étais complice de quelqu'un contre lui, lorsque Maria Nikolaevna dit, en se retirant près de la fenêtre :

– Senia vient de passer. Il voulait m'emmener faire une promenade. Et il m'a dit des impertinences parce que je n'avais pas répondu au téléphone quand il avait appelé. Un baril de poudre !

– Et pourquoi n'y es-tu pas allée ? Dehors, il y a plein de neige, une merveille.

Elle ne répondit pas. Je restais debout, regardant par terre. Pavel Fédorovitch prit le siège le plus rapproché. Il portait des bottes militaires. Je levai la tête. Il était vêtu d'une vareuse militaire, il portait la barbe, les cheveux plus longs que ne le permettait l'usage – non pas à la manière « artiste », mais plutôt à la façon des « koupetz[1] », èt son

1. Membre de la classe des marchands (koupet-chestvo) qui, au XIXᵉ siècle, vivaient entre eux et se caractérisaient par des coutumes et des façons particulières de se vêtir et de se coiffer. Complètement disparus dans leur spécificité bien longtemps avant la révolution, ayant donné dans les générations suivantes des libéraux et des mécènes, ils demeurèrent cependant très vivants dans l'imagination russe grâce, sans doute, au très grand dramaturge du XIXᵉ siècle A. N. Ostrovsky, qui les avait amplement représentés.

physique était des plus ordinaires, un peu trivial. Il paraissait âgé de quarante-cinq ans environ.

Nous dînâmes tous les trois. Je tâchais de ne pas manger avec trop d'avidité, et cependant, par manque d'habitude je devins si lourde vers la fin du dîner qu'il m'était difficile de demeurer maîtresse de moi-même. La femme de chambre présentait les plats d'abord à Maria Nikolaevna, à moi ensuite, à Pavel Fédorovitch après. Dans l'immense salle à manger, je me sentais encore plus intimidée que dans le salon, auquel j'avais eu le temps de m'habituer un peu. La conversation tourna presque tout le temps autour de moi. Après avoir bu un verre de vin rouge je devins insensiblement éméchée ; dans la glace du buffet, que mon regard atteignait par moments, je me voyais rouge et comme bouffie. « C'est parce qu'elle n'est pas encore sûre de moi, justement, qu'elle lui a dit que l'autre est venu. » Et je ris mal à propos. « Il faut gagner sa confiance. »

« Pour quoi faire ? Pour trahir ensuite ? » Je laissai tomber la cuillère dans l'assiette, et la compote éclaboussa la nappe. « Il faut obtenir, mériter... Afin de la préserver de quelque malheur, plus tard, quand il faudra, sans se manifester ; afin de la sauver tout à coup, de la servir en esclave, au point qu'elle ne saurait même pas que c'est moi... Il faut devenir indispensable, irremplaçable, dévouée jusqu'au bout, sans pitié pour soi... Ou bien la trahir un jour, la trahir, elle avec toute sa beauté et sa voix, pour lui prouver qu'il y a des choses plus puissantes qu'elle-même, qu'il y a des choses qui peuvent la faire pleurer, qu'il y a une limite à son invulnérabilité. »

J'étais un peu ivre. Elle souriait à mon visage rouge, à mes yeux brillants, elle parlait de mon défunt chanteur, qu'elle avait connu, et pour qui il se trouvait qu'elle avait eu un faible étant fillette.

– Non, vous ne pouvez pas vous imaginer, Sonetchka, comme il était magnifique une fois qu'il avait mis sa culotte paille pour le deuxième acte d'*Onéguine*... Mais il commença à perdre la voix très tôt ; il buvait comme un Suédois.

– Avant sa mort, la Pétrocommune lui avait envoyé des céréales, dis-je.

Après le dîner, ils s'apprêtèrent à sortir, et je pris congé. Mais avant de me laisser partir, Maria Nikolaevna me retint au salon.

– A demain, dit-elle. Il fait bon, très bon travailler avec vous. Je pense que vous avez un véritable talent pour l'accompagnement – c'est une chose très rare. Vous avez joué du Schubert, ça, il ne faut pas le faire, ce n'est pas pour vous. Mais pour moi ce sera merveilleux de travailler avec vous, je le sens. Et vous ? Cela vous plaît-il ?

Je murmurai à peine quelques mots.

– Eh bien, au revoir. Il faut que j'aille me changer. Sonetchka, pourriez-vous me poster une lettre ? Ne la mettez pas dans la boîte qui est au coin, il y a bien un an qu'on ne l'a pas vidée, mettez-la dans celle qui est sur la Liteïnaia, sur votre gauche.

– Bien, Maria Nikolaevna.

Alors je m'aperçus que nous étions seules, que Pavel Fédorovitch n'était pas dans la pièce.

Elle me donna une enveloppe bleue et raide, et je partis. Il faisait nuit dans l'escalier, et je parvins à tâtons jusqu'en bas, manquant glisser sur les marches gelées. Dans la rue aussi c'étaient les ténèbres complètes, la neige scintillait – d'elle-même, il n'y avait ni réverbères ni lune. Des étoiles seulement. J'arrivai jusqu'à la Liteïnaia. Je ne pouvais déchiffrer à qui était adressée la lettre. Tout le long de la rue, à gauche comme à droite, il n'y avait pas une lumière, je ne voyais rien devant moi, je marchais tout près des murs pour ne pas buter contre un tas de neige ou une borne. Je m'arrêtai devant la boîte aux lettres. A la lumière des étoiles, j'essayai de lire l'adresse. Je décidai : si j'arrive à déchiffrer ne serait-ce que la première lettre du prénom (il devait commencer par un S), je ne jetterai pas la lettre dans la boîte, je l'emporterai à la maison, je l'ouvrirai, la lirai, et l'enverrai demain matin ; je fixai assez longtemps, mes yeux se remplirent de larmes. Enfin, je vis un « A » haut et mince. Et subitement, je lus tout, comme si, quelque part derrière moi, un éclair avait brillé : « A André Grigorievitch Ber. Zverinskaia 15. » Je ne sais pourquoi, j'eus peur. Je jetai la lettre dans la boîte et demeurai là encore un peu, le cœur battant.

Deux hommes me dépassèrent, deux loqueteux ; ils portaient quelque chose de volumineux et de lourd, il me sembla que c'était une porte. Ma peur augmenta. Du côté du pont, des coups de feu éclatèrent soudain. Je me mis à courir. Je ne sais pourquoi, j'essayai de me rappeler le visage de Pavel Fédorovitch, et je n'y arrivai pas. J'essayai de me rappeler sa voix, et ce qu'il avait dit, et je n'y arrivai pas. J'aurais voulu me demander si elle l'aimait, si lui l'aimait. Qu'était-il ? Que faisait-il ? Qu'allions-nous devenir, tous les trois, plus tard ? Je n'y arrivai pas. Elle demeurait dans mes pensées. Sa voix. Et sa façon trop libre, trop assurée de traiter les gens et l'avenir. Et le fait qu'elle possédait cette façon comme un droit indiscutable, imparti d'en haut et pour toujours.

Plus de deux mois s'écoulèrent, j'allais tous les jours chez les Travine, je travaillais avec Maria Nikolaevna, je dînais et quelquefois je restais le soir jouer aux dames avec Pavel Fédorovitch, mais je ne vis ni « Senia », ni « André Grigorievitch Ber », et je n'entendis pas parler d'eux. A la maison, tout allait comme par le passé, mais peu à peu je quittais mon ancienne existence. Maman, ses soucis et ses malaises me laissaient indifférente. Mitenka était en train de vivre sa première idylle avec la petite-fille de X. dont, d'après l'opinion générale, il était amoureux uniquement par inertie – tellement il vénérait le grand-père, un compositeur très connu. Cependant, il ne pensait même pas à imiter X., car, dans ses « chorals », il allait de plus en plus loin, et s'apprêtait même à faire construire, pour leur exécution, un piano très particulier, à quatre claviers. Mais assez parlé de Mitenka. M'ayant introduite chez les Travine, il disparut progressivement de mon existence, et je ne le revis qu'à Paris, il y a relativement peu de temps. Mais j'en parlerai le moment venu.

Je ne connaissais pas d'autres personnes, qui seraient venues me voir, et auxquelles j'aurais été attachée par quelque chaleur humaine. D'ailleurs tout ce passé me semblait maintenant ne pas valoir un souvenir – et en effet il s'effaçait de ma mémoire. Le matin, je faisais des exercices, j'allais faire les queues. Je chauffais le poêle ; après le déjeuner qui, toujours le même, consistait en gruau et hareng – je lavais la vaisselle, je me nettoyais, je mettais mon unique robe présentable et je partais.

Là-bas il faisait chaud. Là-bas on me donnait à manger, on me disait que la vie était une chose difficile mais amusante, quelquefois on me faisait un cadeau. Un peu distraite et ensorcelante de douceur au début, Maria Nikolaevna devenait, vers les sept heures, d'une humeur gaie et active. Quelquefois, rentré un peu plus tôt, Pavel Fédorovitch s'installait dans un coin du salon et nous écoutait. Mais le plus souvent nous nous mettions à table aussitôt qu'il était là. Au bout d'une semaine, je connaissais déjà toute leur existence, et il me semblait drôle que la curiosité et Dieu sait quels autres sentiments m'eussent tellement émue le premier jour. Pavel Fédorovitch travaillait dans l'une des administrations de ravitaillement de cette époque. Il obtenait tout ce dont il avait besoin, y compris le gibier et des pièces de musée. On ne peut pas dire qu'il « s'enrichissait » dans son emploi, simplement il jugeait inutile d'être trop scrupuleux, il aimait vivre commodément, délicieusement, copieusement ; deux ans auparavant il était devenu très riche, riche d'une façon même incroyable, plus riche que tous ceux que je connaissais, plus riche que les parents de Mitenka. Et maintenant, ne voulant rien savoir, il désirait vivre dans le bien-être sinon dans l'opulence, et, aussi bizarre que cela paraisse, il y arrivait. Ce qui avait surtout changé dans leur existence, c'est qu'ils avaient, tous deux, perdu peu à peu leur ancien milieu et qu'ils ne cherchaient pas à en trouver un autre. Inutile de préciser : certains avaient été fusillés, d'autres étaient en prison, beaucoup avaient fui et d'aucuns avaient cessé de les fréquenter, estimant que Pavel Fédorovitch était un gredin. On recevait des espèces d'acteurs, des gens de la famille, des anciens employés de Pavel Fédorovitch – mais ce n'était pas le « monde » où Maria Nikolaevna avait brillé peu de temps auparavant.

Au début d'avril, Maria Nikolaevna me proposa de venir habiter chez eux. Ils préparaient le départ pour Moscou, l'appartement était vendu à un consul de quelque pays oriental. Cette dernière semaine à Pétersbourg s'écoula pour moi comme une seule journée. On m'avait donné des robes, on m'avait donné de l'argent pour le coiffeur. Soudain, Maria Nikolaevna fit irruption dans ma vie par l'autre bout : il n'y avait pas de chose sur laquelle elle ne m'eût interrogée : à quelle heure je me lève, sur quel côté je dors, quelle est la couleur qui me va le mieux, et si quelqu'un m'a déjà fait la cour, et si je crois en Dieu ? En un mot, je sentis tout à coup que je n'avais aucune défense, qu'elle était sur le point de tout savoir de moi – mes sentiments envers ellemême et ce que j'en pensais. Il y avait, dans tout ce qu'elle faisait, une force si résolue qu'il était impossible de lui résister. Ce soir-là (c'était deux jours avant le départ) j'étais dans un tel état qu'il aurait suffi d'un rien pour que je lui raconte mes origines, pour que j'éclate en sanglots. Et elle comprit que dans ses questions elle était allée trop loin (entre autres choses, elle m'avait demandé si j'aimais quelqu'un, et, vite, je répondis non, parce qu'Evguéni Ivanovitch était alors complètement oublié, que, durant ces semaines, je m'étais beaucoup éloignée de maman et que, dans ces conditions, si j'aimais quelqu'un à ce moment, ce n'était qu'elle, Maria Nikolaevna, bien sûr). Elle comprit qu'elle était allée trop loin, qu'il était temps de mettre un terme à cette conversation. Elle se mit debout et dit :

– Allons chanter un peu. D'accord ?

Elle pouvait travailler beaucoup, il n'existait pour elle ni « état », ni « humeur ». Elle se préparait pour les concerts à Moscou. La veille du départ, elle donnait un dernier récital à Pétersbourg, et c'était mon début avec elle.

Par la suite, il m'est arrivé, des dizaines de fois, de paraître à ses côtés sur une estrade, mais je n'ai jamais su comment saluer, dans quelle direction porter mes regards, ni à quelle distance derrière elle je devais marcher. Je passais rapidement, comme une ombre, sans regarder le public, je prenais place en baissant les yeux, je posais mes mains sur le clavier.

Elle, elle distribuait ses sourires et ses regards comme si elle ne pensait à rien qu'à ceci : « Me voici. Vous voilà. Voulez-vous m'entendre ? Je vais chanter pour vous. Quelle joie de vous faire plaisir ! »

C'est ainsi, me semble-t-il, que je lisais ses pensées ce jour-là, à Pétersbourg, alors qu'elle était déjà devant moi, debout dans la courbure arrondie du piano à queue.

— Sonetchka ! me souffla-t-elle, et je compris, d'abord, qu'il fallait com-

mencer et ensuite qu'elle était la cantatrice, et moi l'accompagnatrice, que ce
concert était son concert et non pas,
comme elle le disait, le nôtre, que la
gloire était pour elle, que le bonheur
était pour elle, que moi, quelqu'un
m'avait trompée, qu'on m'avait filoutée
sur le poids et la mesure, que j'étais
traitée en dindon de la farce par le bon
Dieu et le destin.

L'énorme salle était pleine. Pendant
l'entracte, la jeunesse forçait les portes
de la loge de Maria Nikolaevna où toute
la fleur du Conservatoire et du théâtre
Marie nous entourait. Je me tenais là
sans rien dire, de temps en temps Maria
Nikolaevna me présentait ceux qui arrivaient, je connaissais la plupart d'entre
eux, mais j'estimais qu'il n'était pas
convenable de leur parler, et d'ailleurs
je n'avais rien à leur dire. Quelqu'un me

complimenta, me demanda de répéter mon nom, mais à ce moment Pavel Fédorovitch s'approcha, les gens rirent en même temps de quelque chose et se mirent à parler.

— Sonetchka, où donc est mon mouchoir ? chuchota Maria Nikolaevna, le regard apeuré. Il me semble que j'ai le nez humide.

Compréhensive, je me mis à chercher le mouchoir, je le trouvai sous la chaise et le lui tendis.

Maman était là. Elle avait un visage heureux, le nez légèrement rougi d'attendrissement. Elle eut le temps de murmurer :

— C'est ton premier triomphe, Sonetchka !

Je la regardai avec surprise : non, elle ne se moquait pas de moi.

Parce que l'heure avait été avancée de

trois heures et parce que nous étions au mois d'avril, la nuit était tout à fait claire, nous rentrâmes à la maison à minuit passé. J'entendais Pavel Fédorovitch qui soupait, seul, dans la salle à manger, debout devant le buffet, j'entendais Maria Nikolaevna qui téléphonait. Il était difficile d'obtenir une communication de nuit. Elle attendit longtemps. Puis elle parla, très, très doucement. Dans ma chambre, je ne bougeais pas. J'aurais pu coller l'oreille contre la porte et entendre chaque parole, mais je ne bougeai pas, je restai assise sur le lit. Qu'est-ce que cela pouvait me faire, qu'elle eût un amant, ou deux ? Que Pavel Fédorovitch les tue, elle ou eux, ou qu'elle se fasse quelque chose à elle-même ? Moi, moi, qu'est-ce que je vais faire dans la vie ? Moi, moi, pourquoi j'existe dans le monde ?

Et soudain la porte s'ouvre et elle entre :

— Vous ne dormez pas encore ? Laissez-moi vous embrasser. Merci pour cette soirée.

Je lui prends la main, je marmonne :

— Que dites-vous, Maria Nikolaevna, qu'ai-je à faire là-dedans ?

Elle me met un pruneau dans la bouche et elle rit.

Le lendemain, à huit heures du soir, nous partîmes pour Moscou.

A la gare, il y avait maman, ainsi que Mitenka, et la petite-fille de X., et une trentaine de personnes que je connaissais un peu ou pas du tout. Coiffée d'un chapeau de cuir blanc, un renard blanc sur les épaules, Maria Nikolaevna était à la fenêtre du wagon. J'essayais de voir quel était l'homme qu'elle regardait le plus souvent, mais maman, en larmes, cherchant ses mots, s'interposait tout le temps entre elle et moi.

– Reviens, ma petite fille, disait-elle, que va-t-il advenir de nous tous ? Mon talent lumineux, sois heureuse ! Que Dieu donne la santé aux Travine, comme ils sont bons et gentils ! Sois prudente, fais attention, applique-toi... Sonetchka, mon tout petit...

J'écoutais ses balbutiements et alors que je ne les comprenais qu'à moitié, quelque chose me parvenait, à ce moment, de ses dernières paroles. « Ma petite maman, répondis-je, tout ira bien, ma petite maman, tu vois comme tout s'arrange bien. Et pourquoi s'inquiéter ? Il ne faut pas s'inquiéter. Porte-toi bien, maman. » Elle pleurait, elle m'embrassait. La sonnerie retentit. Je sautai sur la plate-forme du train. A ce moment, un homme vêtu d'une vareuse militaire avec des galons, un étui à revolver luisant à la ceinture, sortit de la foule, fit deux pas le long du wagon, serra fortement la main que Pavel Fédorovitch passait par la fenêtre, baisa deux fois celle de Maria Nikolaevna, agita sa casquette. Tout le monde agita des chapeaux et des mouchoirs, même Mitenka. L'homme à la vareuse marcha à grands pas à côté de la fenêtre.

– On se reverra à Moscou, dit-il.

– Ça suffit, tu vas tomber sous le train, dit-elle.

– On se reverra à Moscou – l'homme le répéta comme une menace.

Le train prit de la vitesse, et il resta en arrière.

– Senia a tellement grossi, dit Pavel Fédorovitch en s'adressant à moi, que bientôt il ne saura plus courir.

Maria Nikolaevna ne répondit pas.

Elle restait près de la fenêtre et regardait en arrière. D'après la direction de son regard, je vis qu'elle ne regardait pas ceux qui l'avaient accompagnée et devant lesquels, agitant sa casquette, se tenait Senia, mais plus à gauche, et qu'elle regardait longuement, avec tristesse...

Nous avions deux compartiments voisins. En dehors de nous, il y avait aussi, dans ce wagon, de hauts dignitaires soviétiques avec lesquels Pavel Fédorovitch – chargé d'une mission à Moscou – fit aussitôt connaissance. Ils burent d'abord chez nous, puis nous bûmes chez eux. Enveloppée dans un grand châle bariolé, Maria Nikolaevna obligea l'un d'eux à rester à genoux devant elle, un verre plein à la main, pendant près d'une demi-heure. Pavel Fédorovitch avait une conversation longue et pas-

sionnante sur la chasse, sur la fameuse
collection d'armes de Karachan, sur la
chasse aux aurochs du tzar. Le troisième, qui était jeune et mince, avec un
visage d'ange et de grands yeux, voulut
absolument que nous nous tutoyions
après avoir bu ensemble. J'avais peur,
mais j'accrochai mon bras au sien et vi-
dai mon verre, après quoi il dit qu'il
m'embrasserait. Ma peur augmenta. Je
compris que j'étais ivre et que s'il le faisait je pourrais tomber amoureuse de
lui.

— Je t'apprendrai à embrasser, disait-il, ça ne fait rien si tu ne sais pas, je
t'apprendrai.

Maria Nikolaevna lança, de l'autre
bout du compartiment :

— Cela ne se fait pas si vite.

Il me prit dans ses bras et je sentis
quelque chose de doux et d'humide dans
ma bouche.

La nuit s'élançait vers la fenêtre, quelqu'un titubait dans le couloir, quelqu'un m'embrassait les mains, sans m'importuner, avec beaucoup de ménagements ; enfin, quelqu'un me conduisit doucement jusqu'à mon compartiment. La nuit s'élançait vers la fenêtre. Le train se précipitait. Je sentais que c'était la vie qui s'élançait vers moi, et je me précipitais en elle, en cet inconnu velouté.

Senia arriva à Moscou deux semaines après nous – je l'attendais comme on attend, sans doute, un être aimé. Et cependant le temps fuyait, décidé et rapide, et chaque jour de la vie moscovite apportait quelque chose de nouveau.

Nous étions descendus chez la sœur de Maria Nikolaevna, dans la Spiridonovka. Le rez-de-chaussée de cet hôtel particulier était occupé par une administration, et une quinzaine de personnes, toutes de la famille, logeaient au premier étage. J'étais la seule étrangère. Dès le premier jour de notre arrivée,

quelques messieurs désinvoltes commen-
cèrent leurs visites ; ils ne demandaient
pas où et quand Maria Nikolaevna allait chanter, ni ce qu'elle allait chanter.
C'était comme s'ils la réquisitionnaient,
et ils lui donnaient des ordres, poliment
bien sûr, mais sans admettre d'objec-
tions : tantôt il fallait monter dans un
camion qui était devant la porte pour
assister à une réunion au Kremlin, tantôt il fallait chanter à la Philharmonie
des morceaux bien précis, et cela un
jour bien précis et pas un autre, tantôt
il fallait accepter un engagement au
Bolchoï pour l'hiver suivant. Pavel Fédorovitch, qui ne quittait presque jamais la maison (son ordre de mission se
révéla fictif), dit un jour :

– Ce n'est pas à l'automne, c'est
maintenant qu'il faut décamper. Comment pourrais-tu vivre ainsi ?

Maria Nikolaevna le regarda avec confiance et nous comprîmes que dès le lendemain il se mettrait en quête de faux documents.

Outre ces « réquisitions », je connus à Moscou une autre chose ; je connus, pleinement, ce qu'est une gloire qui n'est pas la vôtre, et je m'y habituai même un peu. Maria Nikolaevna ne me lâchait plus. Parfois elle m'envoyait parlementer avec des admirateurs exigeants, d'autres fois elle me priait d'aller quelque part pour affaires. Je me rappelle qu'à un souper, après, je crois, son deuxième concert, elle devait être à table la voisine de Lounatcharsky, et qu'à la dernière minute elle me fit prendre sa place. Lounatcharsky rougit, ne dit rien, mais devint extrêmement en verve à la fin du repas.

— Etes-vous femme ou jeune fille ? me

demandait-il en me soufflant dans la figure une odeur de vin. Répondez – êtes-vous femme ou jeune fille ?

Butant sur les mots, j'avouai avec franchise que j'étais jeune fille. Il le déclara à toute l'assistance, laissa poindre une larme au coin de l'œil et voulut me saluer jusqu'à terre, mais Pavel Fédorovitch intervint à temps.

Tout autour de moi il y avait la gloire d'une autre, la beauté d'une autre, le bonheur d'une autre, et le plus dur était que je les savais mérités, que si je n'avais pas été au piano, sur l'estrade où on ne me remarquait pas, ou dans la loge quelque part derrière Maria Nikolaevna, mais dans cette foule qui l'applaudissait et courait la voir à la sortie des artistes, je l'aurais regardée moi-même avec autant d'enthousiasme, j'aurais autant désiré lui parler, lui toucher la main, voir son sourire. Mais maintenant, je n'avais qu'un rêve – trouver le point faible de cet être fort, détenir le pouvoir de disposer de sa vie lorsque je n'en pourrais plus de demeurer son ombre.

Ses relations avec Pavel Fédorovitch m'étonnaient bien des fois. Alors que, sans aucun doute, elle gardait en elle un secret, ces relations étaient sans nuages. Il l'aimait autant qu'il est possible d'aimer. Ils étaient mariés depuis six ans. Chacune de ses paroles, chacune de ses pensées étaient pour lui au-dessus de tout jugement, elle était toute sa vie. Et elle le lui rendait pleinement. Quant à moi j'attendais Senia pour la surprendre dans sa trahison. Et un beau matin, Senia arriva chez nous, venant directement de la gare.

– Enlève ta casquette, qu'est-ce que

c'est que cette goujaterie que d'entrer sans se découvrir, dit-elle, tout en frottant avec une serviette ses cheveux qu'elle venait de laver. Quoi de neuf à Pétersbourg ?

Je sortis et m'arrêtai derrière la porte. Mais la conversation se fit aussitôt à voix basse. Deux fois, les éperons de Senia tintèrent. Lorsque Pavel Fédorovitch rentra, je lui dis en cachant à peine mon émotion qu'il y avait quelqu'un chez Maria Nikolaevna. Il regarda par la fente de la porte et la referma aussitôt.

— C'est une culotte de cheval, me dit-il. C'est sûrement Senia. Il est venu quand même, l'imbécile ! Eh bien, laissons-les s'expliquer.

Nous restâmes dans la chambre d'enfants, où il n'y avait personne. Une demi-heure s'écoula. Pavel Fédorovitch

me montrait des papiers et me deman-
dait de retenir les noms sous lesquels
nous allions, dès la semaine suivante,
entreprendre le voyage vers le Sud.
J'étais terriblement anxieuse et je trou-
vais bizarre qu'il fût tout à fait calme.
Soudain, on sortit dans l'antichambre.
On entendit partir deux personnes mais
ni Maria Nikolaevna ni son visiteur ne
prononcèrent un seul mot. Senia tira
brutalement la porte d'entrée.

— Il conservait quand même je ne sais
quelles folles espérances, dit Maria Nikolaevna en entrant dans la chambre.
Comme c'est pénible. Quinze années
d'amitié charmante, un homme gai, pas
bête. Le voilà perdu pour moi.

Elle s'assit. Pavel Fédorovitch demanda :

— Mais tu n'as pas été brutale ?

— Un peu, dit-elle, puis elle s'accouda
et demeura pensive.

J'étais debout près de la fenêtre, les bras ballants. J'avais envie de m'élancer vers eux, de leur demander de me chasser.

– Et moi, j'ai des nouvelles, des nouvelles d'une importance capitale, commença Pavel Fédorovitch. Tout est prêt, et je pense que nous allons bientôt nous mettre en mouvement.

Maria Nikolaevna leva la tête.

– Odieuse Moscou, dit-elle. Que ce soit vers le Nord ou le Sud, ça m'est égal, pourvu qu'on s'en aille.

Et cinq jours plus tard nous nous mîmes en route. Notre voyage fut plein de mystères et de dangers, il coûta beaucoup d'argent et de bijoux et dura près d'un mois – mais même dans ces moments les plus exceptionnels il ressemblait trop à d'autres voyages du même genre ; et même si au cours de nos péripéties il nous sembla qu'à nous seuls était imparti d'attraper des poux, d'être dévalisés jusqu'à la dernière chemise, de se cacher dans un wagon à bestiaux épargné sur une voie ferrée défoncée par la dynamite, nous apprîmes, à notre arrivée à Rostov, que des dizaines, et des centaines de personnes avaient vécu la même chose et que, dans une commune existence d'abondance et de gaieté, personne n'y pensait plus. Nous avions maintenant un appartement dans un hôtel. En quelques jours, Pavel Fédorovitch réalisa une affaire se chiffrant en millions, Maria Nikolaevna travaillait, se produisait, brillait. Et moi... pour la première fois de ma vie j'étais amoureuse. Nous allions chez Philipoff manger des gâteaux. Il avait dix-huit ans, il était en première année, et sa bêtise m'émouvait jusqu'aux larmes.

Tout y était, et « si je m'en vais à la guerre, pleurerez-vous ? » et « j'ai trop souffert dans l'existence pour ne pas comprendre », et « si vous ne pouvez pas vous soumettre à moi jusqu'au bout, dites-le franchement » – paroles infiniment douces et complètement vides de sens, et qui me plongeaient dans un engourdissement béat.

A la maison, j'avais caché cette relation. Je m'appliquais à être aussi consciencieuse, aussi docile. Maria Nikolaevna travaillait tous les jours ; il y avait des soirées, surtout des soirées de bienfaisance. Là aussi il y avait ce succès qui l'entourait comme l'air. Et moi je pensais que j'allais me marier avec mon étudiant de première année, laisserais tomber les Travine – sans préavis, sans adieu, commencerais ma propre vie, mettrais un enfant au monde et abandonnerais la musique qui m'avait joué un si mauvais tour. Et ces pensées me rendaient presque heureuse.

— Sonetchka, venez vous asseoir par là, me dit un jour Maria Nikolaevna, vous êtes mon amie, n'est-ce pas, et je peux vous parler franchement ?

— Oui, Maria Nikolaevna, et je m'assis là où elle l'avait indiqué.

— Regardez-moi. Depuis quelque temps, votre regard a changé. Il est comme durci... Laissez donc tomber votre galopin. Il est très comique.

J'étais glacée.

— S'il était seulement jeune, ou bête, ou laid, ou n'importe quoi encore. Mais le vôtre, il est tout simplement comique. Dieu sait ce qu'il a, mais il est impossible de le regarder sans rire.

— Comment... savez-vous ?

— Mais il n'y a rien à savoir. Est-il possible que ce soit l'amour ?

— Nous allons nous marier, arrivai-je à dire.

— Pas possible ! Alors là, c'est une véritable anecdote. Vous savez, il sera employé du télégraphe.

— Pourquoi du télégraphe ? Il est à la faculté de droit.

— Ça ne fait rien, il sera quand même employé du télégraphe. Et pendant toute sa vie il aura mal aux dents.

(En effet, il y a peu de temps, il avait eu une chique.)

— ... Et quand vous vous promènerez bras dessus, bras dessous...

— Maria Nikolaevna, il ne faut pas !

— Pourquoi, il ne faut pas ? C'est la vie. L'univers divin est arrangé merveilleusement, n'est-ce pas ?

Je demeurais assise sans rien dire. Il aurait mieux valu qu'elle me dise — je vous défends de fréquenter ce blanc-bec, ou quelque chose de ce genre. Oui, à côté d'elle tout le monde était pitoyable et ridicule.

— Et puis, vous savez, nous allons bientôt partir.

— Où ?

Elle s'approcha, me mit une main sur l'épaule et regarda — pas moi, mais sa main.

— A l'é-tran-ger, dit-elle d'une voix à peine audible, comme si les murs pouvaient entendre.

Et voilà, je ne revis plus mon étudiant de première année. Je compris tout à coup que mon histoire avec lui était un écart de la direction principale que j'avais prise encore à Pétersbourg, je compris que dans ma vie il ne devait y avoir personne d'autre que les Travine. Et de nouveau je me mis à observer et à prêter l'oreille, mais rien n'arrivait jusqu'à moi de ce qui m'était nécessaire.

Et, en fait, nous quittâmes Rostov à l'automne, et arrivâmes à Constantinople en passant par Novorossisk. Pavel Fédorovitch rendait notre vie légère et sans soucis, ce deuxième voyage était moins dangereux et plus simple que le premier, mais mon existence nomade ne devait se terminer qu'en 1920, elle avait duré exactement un an et ne m'avait pas apporté ce que j'en attendais. Je m'étais habituée aux Travine, j'étais devenue un membre de leur famille, j'étais la première auditrice de Maria Nikolaevna et en même temps – sa servante. La brume de mystère et de ce quelque chose qui n'allait pas bien, qui m'avait si longtemps inquiétée, s'était peu à peu et complètement dissipée autour d'elle et de Pavel Fédorovitch, mais je savais qu'un jour viendrait où elle s'épaissirait de nouveau et où je saurais tout ce que je voulais tant savoir.

Ainsi donc, notre troisième voyage se termina au printemps de l'année 1920 – nous étions à Paris.

Je me souviens, il pleuvait, c'était le soir, je regardais par la fenêtre de la voiture les rues et les piétons – j'étais assise sur un strapontin face aux Travine. Maria Nikolaevna avait l'air fatiguée. Je me souviens de mes rêves dans la chambre de l'hôtel *Regina*, les premières journées, le portrait de Maria Nikolaevna dans *Le Petit Parisien*. Je m'en souviens nettement, comme si c'était seulement hier. Et, de nouveau, combien de fois déjà pendant cette année, la vie recommençait impétueuse, bariolée et généreuse, on retrouva d'anciennes relations des Travine, il y eut des sorties, des soirées, des restaurants.

L'été arriva – Maria Nikolaevna partit à la montagne. Bientôt, Pavel Fédorovitch partit la rejoindre. Je flânais en ville, je visitai le tombeau de Napoléon, les églises, de l'argent j'en avais suffisamment. Après, on me fit aussi venir dans le Midi. Nous rentrâmes en septembre et aussitôt le travail battit son plein ; Pavel Fédorovitch se lança dans les affaires, Maria Nikolaevna commença à se préparer pour les concerts. Il y eut un impresario – requin et aigrefin – mais homme charmant, avec des histoires drôles, des compliments et toutes sortes de services rendus.

L'automne approchait...

J'étais seule à la maison le jour où c'est arrivé. Nous avions déjà un appartement. Les Travine étaient partis déjeuner quelque part, la bonne avait congé.

On sonna à la porte.

Je déchiffrais quelque chose au piano et sans penser du tout qui cela pouvait être, j'allai ouvrir.

Un homme entra, grand, très grand, encore jeune, coiffé d'un feutre et vêtu d'un manteau de bonne qualité mais déjà fortement râpé. A la main il avait une vieille canne démodée.

La porte du salon était ouverte. Je vis qu'il avait les cheveux châtain foncé, un nez droit et long, et une petite moustache. Ses yeux regardaient sans joie.

– Maria Nikolaevna Travina habite ici ?

– Oui.

– Elle est chez elle ?

– Non, elle n'est pas là.

Il poussa un soupir de soulagement.

– Elle va peut-être rentrer bientôt ?

Je compris qu'il me prenait pour une domestique.

– Je ne crois pas.

– Et Pavel Fédorovitch ?

– Il est sorti aussi.

– Ils rentreront ensemble ?

– Oui, je crois.

Il resta silencieux. Puis il sortit de sa poche un papier, un crayon, et écrivit quelque chose.

– Voilà mon numéro de téléphone, dit-il, prenez-le. Transmettez à elle – il souligna « elle » – transmettez que Ber est venu, André Grigorievitch Ber. Vous n'oublierez pas ?

Et il me fourra deux francs dans la main.

Je pris l'argent, je remerciai et je dis avec toute la persuasion dont j'étais capable : « Non, je n'oublierai pas, soyez tranquille. »

Et lorsqu'il partit, je m'assis ici même, dans l'antichambre, sur un tabouret en velours et je me mis à pleurer. Par pitié pour moi-même peut-être, ou bien de joie, parce qu'aujourd'hui le début du mystère s'était approché de moi.

Je savais qu'il allait falloir, tout à l'heure, dire à Maria Nikolaevna que Ber était venu – ce même Ber que, depuis des mois, j'avais complètement oublié et dont l'existence dans le monde m'était seulement sensible par quelque instinct de chien. C'était ce même homme pour qui j'avais posté une lettre, sur la Liteïnaia, le premier soir de mon travail chez les Travine. Maintenant il était à Paris. Nous avait-il suivis ? J'étais prête à garantir que non. Sans aucun doute, il était sorti de Russie par le Nord, et le voilà ici, et (après un an d'absence) c'était sa première apparition dans la vie de Maria Nikolaevna.

« Tu n'en as pas assez ? – me disais-je. Tu te sens mal ? Que veux-tu, et pourquoi cherches-tu à démolir cette existence où l'on t'a reçue avec tant de confiance ? » Je me tenais des deux mains à un trumeau étroit et je me regardais dedans, je regardais mon visage comme si je ne l'avais jamais vu d'aussi près. Et plus je me regardais, plus il me semblait que ce n'était pas moi, mais l'autre, du fond de la glace, qui me regardait. Et qu'elle avait les yeux d'une personne décidée à mettre le feu à la maison. Que la mèche fumante était peut-être déjà serrée dans sa grande main pâle et noueuse.

– La mèche ? De quelle mèche s'agit-il ?

Dans la glace, derrière moi, je vis un

visage rieur. Sans faire de bruit, Maria Nikolaevna était entrée dans la pièce.

– Pavel Fédorovitch est parti aux courses, et moi je suis rentrée. Je vous en supplie, branchez le fer – j'ai un chiffon à repasser pour ce soir. Où est Dora ?

– Je repasserai, Maria Nikolaevna. Dora est sortie.

Nous étions debout au milieu de la pièce. Lorsque je vis qu'elle se tenait face à la lumière, de telle sorte que son visage ne pouvait me dissimuler aucun mouvement, je desserrai ma main et lui tendis le numéro de téléphone de Ber.

– Un monsieur est venu vous voir et a demandé que vous lui téléphoniez.

Elle dit « ouf » et s'assit.

– Qu'est-ce qu'il veut ? Qui c'est ? C'est peut-être pour Pavel Fédorovitch ?

– Non, c'est pour vous. André Grigorievitch Ber.

« Eh bien, en voilà assez ! Elle a pâli. Ça suffit. Ça suffit. La suite ne te concerne pas. Elle est devenue tout à fait pâle, elle va se trouver mal tout à l'heure. Tu es contente ? Voilà, elle se sent mal. »

Mais Maria Nikolaevna ne se sentait pas mal, et elle n'avait pas chancelé, comme il m'avait semblé, elle hocha seulement la tête. Elle prit le papier, le lut, demeura pensive. Je restais debout et j'attendais.

— Le fer à repasser, dit-elle sans me regarder, Sonetchka, j'avais demandé...

J'allai à la cuisine et branchai le fer. On n'entendait rien dans l'appartement.

— Et pendant qu'il chauffe, cria-t-elle tout à coup de sa voix forte, Sonetchka ! s'il vous plaît, appelez ce numéro.

Nous allâmes vers le téléphone.

— Vous demanderez ce monsieur Ber

et vous lui direz que vous m'avez dit qu'il était venu, mais que je suis tellement occupée ces jours-ci, tellement occupée que je m'excuse de ne pouvoir le recevoir. Et que je lui ferai savoir quand je serai un peu plus libre.

Ses joues étaient empourprées, ses yeux brillaient, sa voix était sur le point de la trahir.

J'appelai le numéro, on me dit que Ber n'était pas chez lui. Elle ne s'y attendait pas, perdit contenance, se mit à enlever et à remettre son gros bracelet. J'allai à la cuisine.

Une demi-heure après elle m'appela, elle voulait chanter un peu avant le dîner.

— Qu'en pensez-vous, Sonetchka, dit-elle, déjà debout près du piano et en me regardant d'une façon bizarre, supposons que je veuille connaître l'adresse

de quelqu'un d'après le numéro de téléphone. Peut-on le faire ?

– Je pense qu'on peut.

– Non, pas celle de Ber ! Oh, comme
vous êtes maligne, sûrement vous avez
pensé à ce Ber. Non, théoriquement.

– Il y a, je crois, un annuaire téléphonique spécial pour ça. Quand nous
habitions au *Regina*, je l'ai vu.

– Spécial ? Et si je ne l'ai pas ?

– Alors il vous faudra parcourir tout
l'annuaire téléphonique – un million de
numéros.

– Un million, croyez-vous ? Et combien d'heures pensez-vous que cela pourrait prendre ?

Qu'est-ce que j'en savais ? Une pensée
m'occupait : allait-elle me demander de
ne pas parler de la visite de Ber devant
Pavel Fédorovitch ? Mais voilà que Pavel Fédorovitch est rentré (ayant gagné

beaucoup et joyeux comme d'habitude), et Maria Nikolaevna ne m'a rien dit.

Mais à lui non plus elle n'a rien dit.

– Personne n'est venu ? demanda-t-il encore dans l'antichambre.

Et je répondis : « Personne, Pavel Fédorovitch », pensant que Maria Nikolaevna me jetterait un regard reconnaissant, mais elle ne tourna même pas la tête de mon côté.

Et le lendemain matin, sur sa demande, j'appelai Ber au téléphone et lui transmis ce qu'elle m'avait chargée de lui dire. Elle écoutait sa voix à l'écouteur. Il demanda de répéter, remercia. Le soir du même jour, Maria Nikolaevna persuada Pavel Fédorovitch de l'emmener dans une maison de jeu où, contrairement aux clubs ordinaires, on recevait les femmes (clandestinement, bien sûr). Ils rentrèrent tard. Maria Nikolaevna me réveilla, en entrant dans ma chambre.

– Dans un cas pareil, on peut déranger cette Sonia-dormeuse. J'ai dilapidé dix-huit mille ; et Pavel Fédorovitch non seulement ne m'a pas attrapée, mais il m'a consolée encore (alors qu'on le traite de « koupetz » !). Puis je les ai regagnés, et j'ai même emporté sept mille en plus des miens ! Jouer, il faut savoir ! C'est une autre chose que de chanter ! Chanter, tout le monde le peut !

Elle était si belle, si gaie, qu'avec Pavel Fédorovitch nous ne savions comment la calmer. Tous les trois nous ne dormîmes qu'à l'aube. « On le traite de "koupetz" ! Qui le dit ? pensais-je. Qui a le droit de dire de Travine que c'est un "koupetz" ? »

Mais il y avait chez Pavel Fédorovitch, et je le comprenais, quelque chose qui pouvait choquer les gens n'appartenant pas à son milieu.

Au cours de cette année, il avait complètement changé d'apparence. Il avait fait couper ses cheveux de « marchand » et se coiffait avec une raie de côté, à l'européenne ; à la place des bottes il portait des chaussures de première qualité et, l'hiver, des guêtres gris clair. Son linge, ses cravates, ses costumes – tout était parfait ; il s'était fait soigner les mains, son visage s'arrondit et il avait mis à son auriculaire court et velu une bague ornée d'un diamant. Et quand il se taisait et ne bougeait pas, fumant un cigare dans son fauteuil, les jambes allongées, avançant un ventre qui se posait déjà un peu là, on pouvait le prendre pour un homme d'une parfaite correction, pour un gentleman, aux abords de la respectabilité.

Mais il lui suffisait de se mettre à parler ou à marcher pour que, soudain, apparût en lui une espèce de joyeuse vulgarité, une espèce d'animalité, de simplisme ; on voyait que ce qu'il aimait le plus au monde était de bien manger, boire comme un riche, piquer un roupillon, « jouer un coup », comme il disait, parader avec Maria Nikolaevna – ce qui faisait faire un peu la grimace à certains de ses amis, mais ce qui ne gênait pas du tout Maria Nikolaevna elle-même. Elle disait qu'à son avis un homme devait, justement, être comme ça : un peu rustaud dans ses goûts, stable dans la vie, ne s'occupant pas de savoir si l'impression qu'il donne aux gens dont il n'a nul besoin est bonne ou non. Un jour, elle me dit à peu près ceci :

– Il y a quelque chose d'inadmissible et de contre nature dans un couple où lui est perdu dans de hautes pensées, plane, ne voit rien autour de lui, met les pieds dans toutes les flaques, s'assied à côté de la chaise et se mouche dans une serviette à thé, alors qu'elle fait tous les comptes dans sa tête, combien coûtent ceci et cela, et les caoutchoucs ne prennent-ils pas l'eau, et – oh ! demain c'est le terme et encore quelque chose. L'homme doit avoir la tête froide et, s'il le faut, pousser le voisin pour passer lui-même. La femme – vous pensez peut-être qu'elle doit être dans le genre d'un oiseau ? Non, pas du tout. Mais si elle a du talent ou seulement une âme – elle est sauvée.

C'est ce qu'elle m'avait dit un jour. Et lorsque, un soir, elle sortit seule – chose qu'elle ne faisait jamais –, je me rappelai ces paroles et je pensai qu'il est aussi facile de tromper celui qui plane, se

laisse avoir, se conduit comme un de-
meuré, que celui qui par sa nature sensée et épaisse aime la vie qui le lui rend
bien.

Elle sortit le soir. Pavel Fédorovitch
était à son club. Elle ne dit pas où elle
allait. Elle rentra tôt, vers onze heures,
elle n'avait pu aller bien loin ; peut-être
s'était-elle promenée en voiture au bois
de Boulogne, peut-être était-elle restée
au café du coin, comme une petite cou-
sette. Elle passa dans sa chambre. D'habitude, je ne dormais pas encore à cette
heure-là, mais ce soir je ne me sentais
pas bien et je m'étais allongée. L'ayant
entendue, j'enfilai ma robe de chambre,
et, en chaussons, je courus demander si
elle ne voulait pas que je lui apporte du
thé au lit. Je frappai à sa porte et
comme personne ne répondait, j'entrai
sans bruit. Maria Nikolaevna était as-

sise sur une chaise devant la coiffeuse, et elle pleurait.

Je m'élançai vers elle avec une force sauvage, sans comprendre ce que je faisais et sentant que je pleurais aussi. Je lui saisis la main, je l'enlaçai de mon autre bras et j'inondai sa robe de mes larmes. Elle se cacha le visage avec sa main. Mon cœur était déchiré, je ne pouvais rien exprimer. Enfin, elle éloigna mon visage, me regarda dans les yeux. Je sentis qu'elle allait me dire... qu'elle ne pouvait dissimuler plus longtemps. Oh, comme je le souhaitais, comme je le souhaitais ! Mais, simplement, elle me sourit.

— Allons prendre du thé, dit-elle, et tout se passera.

Et elle effleura d'une grosse houppette rose mes yeux humides et les siens.

Une heure plus tard j'étais dans ma

chambre, toute seule. Eh bien voilà, elle a pleuré. Cela suffit. Ce dont je rêvais s'est réalisé sans moi. Elle a pleuré, elle souffrait, elle n'était pas heureuse.

Mais le lendemain – qui fut spécialement chargé et agité – en la voyant tellement égale, calme, sans nuages, je ne croyais plus à moi-même, et plus cette soirée s'éloignait, plus je me mettais à douter – ai-je seulement vu ses larmes ? Et peut-être qu'il n'y en a pas eu du tout, et que c'était seulement de la fatigue ? Ou peut-être elle pleurait pour des raisons tout à fait différentes, qui n'avaient rien à voir ni avec Ber, ni avec Pavel Fédorovitch. Peut-être avait-elle perdu son bracelet préféré, ou avait-elle reçu de Moscou, de sa famille, des nouvelles tristes ?

Une semaine plus tard, elle chanta à la salle Gaveau.

On m'avait fait faire une robe bleue, décolletée ; le coiffeur essaya de donner de la vie et de l'éclat à mes cheveux rares et secs. Maria Nikolaevna était extraordinairement belle dans sa robe blanche, avec la natte de ses cheveux noirs autour de sa tête. Suivant la dernière mode d'alors, sa robe ne se boutonnait pas, mais s'entortillait et se nouait, et cela la faisait rire. « Tu imagines – disait-elle à Pavel Fédorovitch pendant que nous roulions en voiture – si ton habit s'entortillait comme ce genre d'enveloppe ? Qu'en dirais-tu ? »

Des gens portant des fleurs nous reçurent dans la loge poussiéreuse, l'impresario, dont la barbe, ce jour-là, était teinte presque en bleu et tordue d'un côté, poussa un cri quand il vit Travina. Puis il m'aperçut.

– Comme vous êtes... jeune ! s'écria-t-il avec enthousiasme. Oui, j'étais jeune. Mais on ne pouvait dire de moi rien de plus.

Et nous voilà entrées en scène. Elle devant, moi derrière, le long du premier rang de ceux qui étaient installés sur l'estrade et qui, bien entendu, comme ceux de la salle, la regardaient au-delà de moi. J'accompagnais toujours par cœur. Il me vint à l'esprit que si je devais suivre une partition, il y aurait quelqu'un derrière moi, mettons une jeune fille en robe rose par exemple, qui se serait assise près de moi, sur une chaise, et aurait tourné les pages. C'est-à-dire qu'elle serait auprès de moi ce que j'étais auprès de Maria Nikolaevna. Mais je jouais par cœur et nous n'étions que deux. Nous étions deux sur l'estrade et j'avais l'impression que nous étions deux dans la salle. Je savais que Pavel

Fédorovitch était allé dans la première loge de droite, où il y avait des amis. La salle était comble. Mais je sentais tout de même que nous n'étions que deux. Cette sensation dura, sans doute, une minute : à partir du moment où les applaudissements cessèrent et jusqu'à ce que, soudain, je visse Ber assis au premier rang.

Il la regardait et il était aussi blanc que le plastron de sa chemise. Maintenant, nous étions trois. Je pris le premier accord. Maria Nikolaevna regardait au-dessus de la salle. Mais je devinai qu'elle le savait là. Elle peut ne pas le regarder, elle le voit quand même.

Vint l'hiver. Il y eut encore deux concerts après le premier. Pour le mois de décembre, Maria Nikolaevna reçut deux propositions – l'une pour une tournée de concerts en Amérique, l'autre pour la Scala de Milan. Elle était maintenant entourée de gens d'une façon si dense, si serrée, que nous ne restions en tête à tête que le matin, avant le déjeuner, quand elle travaillait, parfois avant de s'habiller ; elle ne restait seule avec Pavel Fédorovitch que tard dans la nuit, lorsqu'ils rentraient d'une soirée passée au théâtre, au restaurant ou chez des amis ; quant à rester tous les trois, comme il nous arrivait autrefois, cela ne se produisait plus jamais.

Un si grand nombre de vieilles connaissances avaient maintenant surgi : des hommes d'affaires de la même race que Pavel Fédorovitch, des amies actrices, et des femmes du monde, et une espèce de jeunesse vieillissante, et même des étrangers.

Il y avait toujours quelqu'un à déjeuner, et jusqu'à cinq et six personnes pour dîner, si les Travine dînaient à la maison. Certains venaient tous les jours, d'autres changeaient. Parfois je ne savais même pas qui c'était, quel était leur nom. Des Moscovites revenaient à la surface (Pavel Fédorovitch était de Moscou) ; ils arrivaient cette année-là à Paris et la maison des Travine était l'une de leurs préférées.

Quelquefois, le soir, on jouait gros dans le bureau de Pavel Fédorovitch et ce jusqu'à huit heures du matin à peu près, de sorte que j'étais réveillée par les voix fortes et enrouées des gens qui prenaient congé dans l'antichambre, alors que la fumée de tabac, s'étendant en nappe dans tout l'appartement des Travine, finissait par pénétrer dans ma chambre. Pavel Fédorovitch allait doucement dans la salle de bains, puis se couchait quelque part sur un divan, dormait jusqu'à une heure, déjeunait et partait pour son bureau – vendre et acheter le bois, le pétrole, le charbon et l'or russes – en un mot ce qui n'existait déjà plus, mais ce qu'il avait envie de voir exister, comme autrefois, lorsqu'il travaillait dans une administration de ravitaillement à Pétersbourg et qu'il avait la haute main sur des lots de pétrole, d'allumettes et de sel, qui étaient juste suffisants pour être partagés entre lui-même et quelques subordonnés. Et de nouveau il ne pensait pas : est-ce honnête ou malhonnête, est-ce « selon Dieu » ou pas « selon Dieu ». La vie s'écoulait, rapide, trouble. Dans cette eau trouble il voguait.

Tous les jours on voyait chez nous des gens nouveaux : jeunes, vieux, riches ou ayant déjà dilapidé toute leur richesse dans quelque affaire ; des femmes, généralement belles, des hommes qui, sincèrement ou non, voyaient en Travina une divinité ; mais dans ce courant je ne vis pas celui qu'il était si facile, semble-t-il, pour Maria Nikolaevna, d'introduire dans la maison – je ne vis pas André Grigorievitch Ber. Et j'en déduisis que Ber était connu de Pavel Fédorovitch, qu'il ne pouvait paraître dans la maison des Travine, comme il ne le pouvait à Pétersbourg.

Il me devint clair que Ber jouait un certain rôle dans la vie de Maria Nikolaevna depuis plus d'une année et que ce rôle avait été, autrefois, si bien saisi par Pavel Fédorovitch que l'entrée chez les Travine lui devint interdite – autrement, s'ils ne se connaissaient pas ou si Pavel Fédorovitch n'avait rien soupçonné, il aurait fréquenté chez eux aussi bien que les autres hommes. Peu à peu il me devint clair que, déjà à Pétersbourg, Ber était devenu le secret de Maria Nikolaevna, et que maintenant elle n'avait pas révélé à Travine sa présence à Paris. Elle se taisait. Elle se taisait beaucoup. Elle semblait contente que d'autres parlent, fassent du bruit, et rient autour d'elle, lui donnant la possibilité de ne dire presque rien.

Il n'y eut plus ni coups de téléphone, ni visites de Ber. La vie de Maria Nikolaevna était remplie de musique, de sorties dans le monde, de visites chez le couturier et à l'institut de beauté – il semblait qu'elle n'avait ni la possibilité, ni le temps de le rencontrer, et cependant je ne doutais pas qu'elle le vît. Pourquoi ? je n'en avais aucune preuve. Au cours du premier concert, il était assis à une place d'orchestre et ne vint pas dans les coulisses ; pendant le deuxième et le troisième concerts je ne le vis pas. Un jour, Maria Nikolaevna reçut une lettre qu'elle brûla aussitôt elle-même dans la cheminée où il n'y avait jamais de feu, et les cendres (le tuyau devait être fermé) volèrent dans tout l'appartement. Pendant la journée elle sortait presque quotidiennement, pas pour longtemps, mais envers et contre tout. Elle était devenue silencieuse, une ombre d'inquiétude envahissait par moments son visage. Et voilà qu'elle refusait de partir aussi bien pour l'Amérique qu'à Milan.

« Mais c'est que Ber est à Paris ! » avais-je envie de crier à Pavel Fédorovitch en voyant qu'il prenait un air étonné.

– Macha, mais pourquoi donc ? C'est ce dont tu avais toujours rêvé. Réfléchis... Tu n'as pas envie ?

Elle secoua la tête. Les « proches » qui se trouvaient là – c'est-à-dire quatre messieurs qui nous étaient complètement étrangers – poussèrent de hauts cris.

J'allai dans le bureau de Pavel Fédorovitch, et y restai longtemps, regardant dans un livre et pensant à ce qui me touchait. L'Amérique, Milan, c'était tout ce brio auquel elle aspirait en Russie, et elle y renonçait pour l'amour. Elle voulait rester avec et aux côtés de l'homme qu'elle aimait et qui était venu à sa suite à Paris. Etre ensemble. Ni ma mère ni moi n'avons jamais été ensemble avec personne. Elle refusait la gloire pour des rendez-vous brefs et secrets. Avec qui ? Qui était ce Ber ? Pourquoi ne l'enlevait-il pas ouvertement à Pavel Fédorovitch ? Qu'attendaient-ils ?

A tout cela, je n'avais pas encore de réponse. Pour l'instant, je ne savais qu'une chose : j'avais découvert le point faible de Maria Nikolaevna, je savais de quel côté j'allais la frapper. Et pourquoi ? Mais parce qu'elle était unique, et des pareilles à moi il y en avait des milliers, parce que les robes qui l'avaient tellement embellie et qu'on retaillait pour moi ne m'allaient pas, parce qu'elle ne savait pas ce que sont la misère et la honte, parce qu'elle aime et que moi, je ne comprends même pas ce que c'est.

— Sonetchka, dit Pavel Fédorovitch du salon où ils étaient tous, apportez-moi mes passeports qui sont dans le tiroir du milieu de mon bureau.

— Pour quoi faire ? répondis-je, comme si on m'avait réveillée.

— Ils ne veulent pas croire que j'ai quarante-sept ans. Ils disent plus. Je veux prouver.

Là-bas ils poursuivaient une conversation futile, elle était là, et Travine aussi, qui ne soupçonnait rien.

Je m'approchai du bureau, j'ouvris le tiroir. En effet, enfermés dans une grande enveloppe, il y avait là les cinq passeports de Travine : le soviétique, le faux, l'ukrainien, le turc et le passeport

Nansen de réfugié. En dessous, il y avait un revolver. Je poussai immédiatement le tiroir... Je ne saurais dire à quel point cette trouvaille m'étonna. Avoir un revolver n'allait pas du tout à Pavel Fédorovitch.

Je portai les passeports au salon. Il se trouvait que Pavel Fédorovitch avait réellement quarante-sept ans. A le voir, on lui aurait donné plus. Maria Nikolaevna souriait sans rien dire.

« Ber est à Paris. » Si je prononçais ces mots, Pavel Fédorovitch me tuerait peut-être avec ce revolver. Pendant notre voyage il n'y avait pas de revolver. Au départ de Constantinople – j'avais moi-même fait les valises de Pavel Fédorovitch – il n'y avait pas de revolver. Il l'a acheté à Paris. Quand ? Pour quoi faire ?

Cependant, la conversation absurde

se poursuivait au salon. A dix heures passées, une amie de Maria Nikolaevna et son mari vinrent la chercher et l'emmenèrent quelque part. Pavel Fédorovitch et trois de ses visiteurs se mirent à un poker silencieux, et je restai avec le quatrième des invités, un homme âgé et chauve, qui s'appelait Ivan Lazarevitch Nersessof. Il fumait, et moi je restais là en attendant qu'il s'en aille. Il n'aimait pas le poker, il jouait au chemin de fer, aimait les voyages en avion (ce qui, à l'époque, était une chose relativement rare), il était veuf et habitait un hôtel particulier qui lui appartenait, non loin de chez nous.

Il fumait et ne disait rien, dans un oubli paresseux, oriental, du monde entier ; ses yeux ensommeillés me fixaient sans me voir semblait-il.

— Très difficile, dit-il soudain.

— Qu'est-ce qui est difficile ?

— Très difficile, répéta-t-il. Se coucher de bonne heure, se lever de bonne heure. C'est une mauvaise habitude que de passer la nuit. Boire. Manger. Ne pas se promener. Rester couché.

— Oui, dis-je.

— L'air, dit-il, de nouveau. Le soleil. Autrefois, j'aimais. Oublié maintenant.

— Vous devriez fumer le narguilé, dis-je. Vous avez essayé ?

Il baissa affirmativement les paupières.

— Venez, dit-il au moment où je crus qu'il était enfin assoupi. Pavel Fédorovitch, laissez la demoiselle sortir avec moi.

Pavel Fédorovitch nous tournait le dos et ne se retourna pas.

— Je vous en prrrie, je vous en prrrie ! — il était en train de réfléchir.

Mais où ? Sortir ? Avec Sonetchka ? Sonetchka, mais en avez-vous vraiment envie ?

Je n'étais pas encore habillée lorsque Pavel Fédorovitch entra dans ma chambre sans faire la moindre attention à mon geste pour cacher mes épaules.

— C'est un homme parfaitement correct. Mais ne buvez pas trop, ou vous aurez des nausées. C'est un homme parfaitement correct. Et très ennuyeux. Dansez un peu avec lui.

Nersessof me conduisit à la voiture. Le chauffeur se réveilla. Nous prîmes place. Je portais ma robe bleue.

— Vous êtes gentille, très gentille. Si laide et si gentille, dit-il. Si petite et si vilaine.

Et il rit. Moi aussi je ris.

Nous arrivâmes dans un restaurant qui était alors à la mode, et aussitôt commença un souper long, distingué et indigeste. Je buvais. Nersessof buvait. Pourquoi avait-il eu besoin de moi? Sans doute ne s'était-il pas posé cette question. Peut-être était-il bon et avait-il eu pitié de moi. Ou bien avait-il eu envie de tuer encore une nuit sans sommeil? Je ne savais ni me parfumer, ni me passer la poudre sur le visage, les garçons du restaurant me regardaient avec compassion.

— Et vous n'avez jamais été amoureuse de personne, Tanetchka? me demanda Nersessof. Je me rappelai mon existence – Evguéni Ivanovitch qui était parti et n'est pas revenu, un visage tendre et à peine connu dans un wagon entre Pétersbourg et Moscou, que je n'ai pas revu, mon étudiant de première année à Rostov dont Maria Nikolaevna s'est tellement moquée, et c'était tout.

– Ce n'est pas Tanetchka, mais Sonetchka, répondis-je, et je bus encore.

– Il faut qu'on vous marie, ma chère, disait-il, et qu'il y ait des mioches...

– Ce n'est pas Oletchka, mais Sonetchka, répondais-je à cela, et je riais de moi-même.

Très tard juste avant l'aube, il me reconduisit, me baisa la main et me remercia pour cette « folle nuit de cabaret ». Je ne trouvai pas la sonnette tout de suite, et lorsque la porte d'entrée s'ouvrit, il me sembla que quelqu'un était là, dans l'obscurité. Je cherchais la minuterie. Je sentais qu'il y avait là quelqu'un, debout tout près de moi, et je commençais à avoir peur. J'avais laissé la porte ouverte. Soudain, quelqu'un sortit et la ferma de l'extérieur. J'allumai la minuterie.

En haut, les visiteurs étaient partis,

Maria Nikolaevna n'était pas encore rentrée. Pavel Fédorovitch était seul dans le salon. C'était la tabagie, le tapis était froissé.

— Pourquoi ne dormez-vous pas ? demandai-je.

— Pas envie, répondit-il. Eh bien, comment vous êtes-vous amusée ?

Soudain, je fis entendre un sanglot.

— Je vous en prrrie, je vous en prrrie ! cria-t-il, comme tout à l'heure, lorsqu'il réfléchissait pendant sa partie de cartes. Allez vite vous coucher. Vous avez besoin de rattraper du sommeil.

Et il me poussa vers la porte, comme s'il avait peur que je ne dise quelque chose de trop.

Il est possible que si, pendant ces semaines, Maria Nikolaevna avait changé de visage et d'âme, si elle avait souffert, et de telle façon que tout le monde, dont moi, l'eût remarqué, si elle était tombée malade ou avait perdu sa voix – je ne sais pas –, mais il est possible que cela m'eût suffi. Mais je ne remarquai rien, sauf cette espèce de douceur qui lui était venue, et, par moments, un regard inquiet. De nouveau elle était gentille et prévenante envers Pavel Fédorovitch, de nouveau elle travaillait beaucoup et avec application ; par périodes, elle embellissait d'une façon éblouissante, et elle poursuivait son existence avec assurance et en toute liberté. Et je sentais que je m'effaçais de plus en plus devant elle, alors qu'elle grandissait en tant que cantatrice et que, physiquement et spirituellement, elle approchait d'une espèce de point focal de son existence, point qu'elle pourrait faire durer pendant de longues années avec son intelligence, sa beauté et son talent.

Il y avait, dans son équilibre, quelque chose qui m'émerveillait jusqu'à l'effroi, jusqu'à la répugnance pour elle. Je ne doutais pas qu'elle trompât Pavel Fédorovitch, mais elle le faisait d'une façon qui n'était pas ordinaire, et lui, inconsciemment sans doute, l'y aidait lui-même : jamais il ne l'interrogeait, la dispensant ainsi de mentir et ne l'humiliant pas – elle ne faisait que se taire. Je ne doutais pas non plus qu'entre Ber et elle il n'y avait pas une « aventure » — appliqué à elle, ce mot était aussi absurde qu'une béquille qu'on aurait tout à coup accrochée à son corps étonnamment « juste » et régulier — mais un amour long, difficile et peut-être sans issue. Et malgré ces sentiments insolubles, elle continuait à rayonner d'une espèce de bonheur constant. Et c'est pour ce bonheur constant que je rêvais de la punir.

Il ne m'aurait pas suffi de faire comprendre à Pavel Fédorovitch que Ber était à Paris. Il fallait pouvoir prouver qu'elle le rencontrait... Je ne pensais pas, pour le moment, à la façon dont j'utiliserais ces preuves et comment j'informerais Travine. J'attendais, j'épiais.

Je ne pensais pas à un succès fortuit. C'eût été trop simple : sortir dans la rue et les rencontrer. Plusieurs fois je crus que Maria Nikolaevna allait, d'elle-même, me parler de Ber. Je pense que cela aurait suffi pour que j'abandonne à jamais toute idée de vengeance quelconque contre elle ou de règlement de comptes avec elle, comptes que seul Dieu pouvait acquitter. Ces derniers temps, il devenait de plus en plus rare qu'elle fût avec moi aussi affectueuse qu'autrefois, pendant les premiers mois de notre vie commune. Mais parfois cela arrivait tout de même. J'étais assise devant le piano, elle était debout derrière moi et posait la main sur mon cou, là où j'ai deux tendons durs et une fossette au milieu. Elle touchait mes cheveux.

— Sonetchka, pensez-vous quelquefois à votre maman ? A Pétersbourg ? A Mitenka ?

— Oui, Maria Nikolaevna.

– Peut-être, un jour, aurons-nous de leurs nouvelles. Voilà qui serait bien !

Je dis :

– Il y a des gens qui arrivent de Pétersbourg. Une lettre peut arriver aussi.

Elle répondit vivement :

– Quelle lettre ! Vous n'y pensez pas ! Les gens fuient sur la glace, à travers la Finlande...

C'est ainsi que je sus que Ber avait fui vers elle à travers la Finlande.

Comme je l'ai dit, Pavel Fédorovitch partait pour son bureau à deux heures. A trois heures passées, Maria Nikolaevna s'en allait. Si elle avait quelqu'un chez elle, elle disait : je vais revenir bientôt. Et l'invité ou les invités – que d'ailleurs personne ne considérait comme des invités – restaient, tapotaient sur le piano, parcouraient les journaux, jouaient aux dames. Dora ou moi leur apportions le thé.

J'avais, à l'avance, pensé à tout. Je ne caressais pas l'espoir de tout apprendre dès la première fois où je la suivrais. La première fois où je sortis derrière Maria Nikolaevna et la suivis dans la rue, à une trentaine de pas, je ne pus aller plus loin que le coin de la rue, tant j'avais peur d'être vue. Deux jours après, je sortis de nouveau. Notre rue en croisait une autre, et celle-ci donnait sur une place, grande et silencieuse, avec un monument au milieu. D'un côté, il y avait une pâtisserie, de l'autre trois cafés, côte à côte ; deux de ces cafés, qui faisaient angle, étaient spacieux et clairs, celui qui était au milieu était plus sombre et plus miteux, de sorte que si on avait envie d'entrer, on entrait sûrement dans l'un des deux premiers, et certainement pas dans celui du milieu où, sans doute, une tasse de mauvais café coûtait vingt-cinq centimes moins cher que dans les établissements voisins.

Maria Nikolaevna arriva à la place. Pensant qu'elle allait monter dans un taxi, je contournai la place pour prendre le dernier taxi de la file et la suivre, mais Maria Nikolaevna dépassa la station de taxis, elle entra directement par l'étroite porte du petit café du milieu. Et je retournai à la maison.

Lorsque je me précipitai dans l'appartement, j'avais encore une ombre de doute. Je me rappelais le numéro de téléphone de Ber. Je l'appelai. Non, il n'était pas chez lui, il était sorti il y a environ une heure. A quelle heure doit-il rentrer ?

A ce moment j'entendis que quelqu'un mettait une clef dans la serrure de la porte d'entrée. Je raccrochai, le téléphone tinta légèrement. Je me mis debout près de la porte, j'étais cachée par un double rideau. Je vis Pavel Fédorovitch. Il entra, l'air coupable de se trouver à la maison à une heure aussi inhabituelle.

Son premier regard fut pour le porte-manteau. Il n'y avait pas d'invités. Il poussa un soupir de soulagement. Il me dépassa pour aller dans le salon et, de là, dans la chambre de Maria Nikolaevna. Je le suivais à pas de loup, je n'avais presque pas peur : s'il s'était retourné, j'aurais tourné cela en plaisanterie. Il resta là assez longtemps, tel qu'il était en pardessus et chapeau, puis il passa par le couloir dans la salle à manger et regarda deux fois la pendule. « Sonetchka ! » cria-t-il.

Je répondis de ma chambre.

— Non, ce n'est rien... J'avais oublié... Il a fallu revenir.

La porte claqua. Il était parti. Avec une inconsciente angoisse je me précipitai dans son bureau, vers le tiroir. Non, le revolver était à sa place. Comment ai-je pu avoir une idée aussi bête! Qui, à part moi, pouvait faire de sorte qu'il le prenne et qu'il tire? Mais mon heure n'était pas encore venue.

Si seulement j'avais pu régler mes comptes autrement – l'attaquer ouvertement, lui prendre Ber peut-être, faire que sa voix pâlisse à côté de mon jeu, que près de moi elle n'existe pas, ne serait-ce que pour une seule personne. Mais je n'avais rien. Je devais me venger brutalement.

Je me rappelle la journée qui suivit. Le matin, elle fit des vocalises, il y avait deux invités français pour déjeuner. Pavel Fédorovitch leur faisait la conversation, leur servait des vins fins. Chacun parlait de sa cave. Puis les hommes s'en allèrent. La couturière arriva pour un essayage. Ensuite...

Je sortis la première. J'arrivai jusqu'à la place, je la traversai et j'entrai dans le café sombre et étroit. Il y avait des rangées de tables, à gauche et à droite, et un passage étroit entre les deux, et au bout il y avait une cloison. J'allai derrière la cloison. Là il faisait encore plus sombre. Assise à la première table, je commandai une bière et j'ouvris un journal. Mon calcul se révéla juste – dix minutes plus tard André Grigorievitch Ber, coiffé du même chapeau, la même canne à la main, entra et s'installa dans la première salle, tout près de la cloison. Je le voyais à travers les arabesques transparentes du verre dépoli, à moins d'un mètre de moi-même. On n'entendait rien, il pleuvait derrière les carreaux ;

c'était cette heure particulière à Paris lorsque, au début du mois de février, ce n'est ni le jour ni le soir, et on dirait que le temps passe plus lentement, et que la ville est plus triste.

... Maria Nikolaevna s'assit à côté de lui, on leur servit quelque chose. Elle était là. Je ne pouvais encore y croire. Il prit ses deux mains, leur retira les gants, les embrassa longuement.

— Ne pleure pas, dit-elle tout à coup.

Il y eut un long silence.

— J'ai les mains mouillées de tes larmes, dit-elle de nouveau.

Une grosse pendule faisait tic-tac au-dessus de moi, dans un coin sombre ; un camion passa. Le gros patron sommeillait derrière le comptoir de zinc — et c'était tout.

— Je ne peux pas, dit-elle. J'ai donné ma parole à Pavel Fédorovitch. Je ne peux pas.

Il dit :

– Toi aussi, tu pleures, ton café est froid et il est sans doute salé.

Elle remua la cuillère dans son verre. Dans l'immobilité de ces grandes silhouettes sombres il y avait quelque chose qui ne ressemblait pas à la réalité.

– Dis-moi quelque chose, dit-il. Souris-moi.

Mais, sans doute, sa voix et ses lèvres ne lui obéissaient pas.

– Je ne peux pas le quitter, entendis-je. C'est comme si j'allais le tuer. Et je ne peux pas non plus le tromper.

– Alors c'est moi qui irai le tuer, dit-il en chuchotant.

De nouveau elle garda un long silence.

– Je veux venir ici pour te regarder. Et toi aussi, viens me regarder.

Il la regarda longuement.

– Attends, dit-il tout à coup, et il sourit. Crois-tu vraiment que cela puisse durer ainsi, et que nous ne serons jamais ensemble ?

Elle appuya sa joue sur sa main, à la manière paysanne. La pendule faisait tic-tac, le temps passait, quelqu'un entra, but un verre au comptoir, les monnaies tintèrent. Il partit.

Et lorsque, soudain, la lumière électrique jaillit au-dessus du comptoir, au-dessus d'eux et de moi, Maria Nikolaevna se leva et partit. Une minute après, Ber appela le patron, paya et sortit aussi. Deux autres lampes s'allumèrent. Dehors, il faisait tout à fait noir.

Je sortis comme hébétée. Il n'y avait personne au monde avec qui j'aurais pu pleurer. Il n'y avait personne au monde... Des rues, des coins, des becs de gaz... Je ne reconnaissais rien. J'arrivai à la maison, je sonnai. Dora m'ouvrit la porte. Maria Nikolaevna était chez elle, et au salon il y avait Nersessof.

Je restai longtemps dans la porte à le regarder, et lui me regardait. Peut-être avait-il le droit de dire que nous étions amis. Il était le seul, parmi les relations des Travine, à connaître maintenant mon prénom et ne plus s'y tromper ; une fois, un soir, il m'avait prise en pitié.

Je m'assis devant lui. Je pensais : et s'il avait été mon mari, ou seulement un ami intime ? Ou, si ce n'est lui, quelqu'un d'autre, pour ne pas être seule, toujours seule, mais être deux, avec quelqu'un, et pour que, de temps en temps, cela ressemble... Je lui aurais ciré ses chaussures le matin, je lui aurais repassé ses mouchoirs, essuyé son rasoir humide. Je l'aurais attendu pour dîner, quelquefois je me serais serrée

144

contre lui, pour que mon corps sente sa chaleur.

Un homme vieux, chauve, était assis devant moi.

— D'où venez-vous ?

— Je me promenais, Ivan Lazarevitch, répondis-je machinalement.

— Je suis entré en passant. Les Disman vont venir, et Pavel Fédorovitch va rentrer. On va dîner.

Dora mettait le couvert dans la salle à manger. Maria Nikolaevna lui donnait des instructions. Je me mis debout, j'allai dans le bureau de Pavel Fédorovitch en traînant les pieds avec difficulté, sans allumer j'ouvris le tiroir du bureau et j'en sortis le revolver. Marchant doucement, je sortis dans le couloir, passai dans ma chambre et cachai le revolver sous l'oreiller.

J'avais décidé de tuer cette nuit Pavel Fédorovitch.

Le soir nous avions des invités, une dizaine de personnes, mais cette fois il n'y eut pas de partie de cartes : Maria Nikolaevna chantait.

Elle ne refusait jamais de chanter quand on l'en priait, mais ce soir-là, il me sembla qu'elle y consentait à contre-cœur. Les invités étaient installés dans le coin du salon où il y avait une lampe et de profonds fauteuils blancs. Lialia Disman, ayant jeté sur le tapis deux coussins, s'allongea dessus ; certains étaient dans l'ombre, Pavel Fédorovitch était à la première place sur le côté, je voyais son visage. Je voyais que de temps en temps, au cours d'un silence, il se levait, offrait à quelqu'un un cendrier ou une orange, attrapait dans la corbeille un couteau à fruits et le passait, versait dans les verres la boisson servie dans une immense soupière en verre dans laquelle, comme dans un aquarium, flottaient des morceaux d'ananas et de pêches.

J'étais au piano. Elle était à côté de moi. Elle était vêtue d'une robe sombre, elle était plus pâle que d'habitude. Sa voix résonnait merveilleusement, comme toujours et peut-être comme jamais – mais s'il y avait une personne qui, ce soir-là, ne pouvait l'entendre, c'était moi.

La libérer de Pavel Fédorovitch ? Dès les premiers sons qui retentirent au-dessus de moi je compris que c'était un rêve inutile, venu par hasard dans un moment de faiblesse, après sa conversation avec Ber que j'avais surprise. Non, c'est moi-même qui avais besoin de me libérer d'elle, le temps était venu de la trahir, pour que Travine fasse justice, et de ce fait m'affranchisse pour toute ma vie.

« Demain », me dis-je. Et peu importe qui des deux il tuera. Mais il leur réglera leur compte, et j'en serai la cause, moi que personne n'écoute et que personne ne remarque, moi qui suis sans nom et sans talent. Le voilà assis, cet homme solide et sensé, ce « marchand » qui ne souffrira pas d'être refait et trompé, le voilà avec sa lourde poigne vitale, pour qui tous nos « permis » ou « pas permis » sont risibles, qui, sans hésiter, a, toute sa vie, marché sur les autres pour faire son chemin et maintenant ne cédera rien de ce qui est à lui. Demain il saura tout.

Mais comment ? Comment l'informer ? – il fallait y réfléchir.

Pendant les deux dernières semaines il s'était mis, je ne sais pourquoi, à m'éviter. Deux fois il était parti en voyage et je ne le sus que le jour même du départ, par Dora. Lui écrire une lettre ? Mais si je la signais – ce serait la même chose que parler, quant à l'envoyer sans signature – il ne la croirait pas. Il était révolu le temps où les gens croyaient aux lettres anonymes. Au début, on en périssait, après elles mettaient de mauvaise humeur. Maintenant, on en rit. Lui téléphoner à son bureau ? Il reconnaîtra ma voix et ce sera la même conversation, mais simplifiée et plus brutale... Mais il fallait, le plus vite possible, remettre à sa place le revolver que j'avais pris, et attendre jusqu'au lendemain matin.

C'est ainsi que je pensais, ou plutôt que je saisissais par moments certaines pensées, pendant que la voix de Maria Nikolaevna me déchirait le cœur et que mon regard se portait là où Pavel Fédorovitch, renversé et immobile sur son siège, avec une dose de gravité qui lui était venue récemment, était assis.

— Assez, je suis fatiguée, dit Maria Nikolaevna.

Mais personne n'avait encore envie de s'en aller. Un jeune pianiste aux joues rouges joua, avec pétulance, deux études de Chopin. Lialia Disman chanta, avec son contralto un peu rude, quelques romances que Maria Nikolaevna qualifiait de « suspectes ».

J'allai chez moi, je portai, avec précaution, le revolver dans le bureau, puis j'aidai Dora à ranger la salle à manger. Il était minuit. Les invités s'en allèrent à minuit passé.

Le lendemain, une conversation à voix haute me réveilla : Pavel Fédorovitch disait à Dora de se dépêcher pour lui servir le café. Pavel Fédorovitch partait pour Londres, en voyage d'affaires. Sa valise était déjà dans l'entrée. Pour longtemps ? Une dizaine de jours. Maria Nikolaevna, qui avait eu à peine le temps d'épingler ses cheveux, était là. Ils se dirent au revoir, il me serra la main.

– Regardez-vous, Sonetchka, me disait Maria Nikolaevna, vous devenez vraiment transparente. Nous devrions changer de genre d'existence, sans cela notre vie est fichue. Hier j'ai chanté dans une pièce pleine de fumée – je ne vaux rien après cela ! Il ne faut ni boire du vin, ni avaler avec appétit toutes sortes de choses nuisibles...

Elle trempait une biscotte dans son café, assise en face de moi.

– Et il ne faut pas faire de caprices, et il y a encore beaucoup de choses qu'il ne faut pas faire – être triste, par exemple. Et moi, quelquefois, je suis triste. Cela vous étonne ? Aujourd'hui, Sonetchka, j'ai eu un mauvais rêve, j'ai rêvé que toute ma figure se couvrait de cheveux ; cela a commencé par le front, les yeux, le nez, les joues – et si vite. Je me suis réveillée parce que je criais.

Elle a bavardé longtemps, je ne répondais presque pas. Le départ de Pavel Fédorovitch m'avait déconcertée. Puis arriva Lialia Disman – la veille, elle avait oublié ses gants chez les Travine. Elle resta déjeuner, raconta deux histoires drôles, dont l'une me demeura incompréhensible, et Maria Nikolaevna rougit et dit :

– S'il te plaît, fais attention : Sonetchka est encore une fillette.

A deux heures et demie, Maria Nikolaevna m'envoya à la bibliothèque, et de
là, prendre des billets pour un ballet. Il
pleuvait à verse, de sorte que mon parapluie était trempé quand j'arrivai au
coin de la rue, et je décidai de prendre
un taxi. En une heure, ses commissions
étaient faites. Lorsque je sortis du théâtre, un faible soleil essayait de percer
l'air humide de février, et un pâle
arc-en-ciel descendait d'en haut. J'allai
vers l'arrêt de l'autobus. Tout ce que je
faisais ce jour-là, je le faisais en auto-
mate, je ne me sentais pas, je ne pensais
à rien d'autre qu'à Pavel Fédorovitch
qui était parti pour dix jours. Ce qui
s'ensuivait, je ne le savais pas encore.

Je descendis de l'autobus près de la
pâtisserie sur notre place. L'arc-en-ciel
ruisselait quelque part très haut, là où
transparaissait déjà un azur presque

printanier. Je contournai le monument. Devant le café où, à cette heure, se trouvaient Maria Nikolaevna et Ber, une énorme flaque d'eau bleu ciel étincelait.

Ils étaient là-bas. Ces rues, ce trottoir, ces fenêtres n'existaient pas pour moi il y a quelques jours seulement, et maintenant leur vue m'envahissait d'une faiblesse vertigineuse, d'une espèce d'inexplicable douleur. Il valait mieux ne pas voir tout cela : j'ai attendu deux ans, j'attendrai bien dix jours encore. Et cependant, je ne détournais pas mes yeux, je demeurais immobile, serrant contre la poitrine les livres et le parapluie ; la flaque d'eau bleu ciel avait la forme d'une feuille de chêne... Des arbres nus laissaient tomber dedans des gouttes claires et perlées... Sous les arbres, il y avait un banc mouillé et comme verni.

Et sur ce banc, Pavel Fédorovitch était assis.

Je m'étonnai qu'il fût là, alors que le matin même il devait partir pour Londres, mais ce qui m'étonna davantage, c'était qu'il restât là non seulement sans aucun signe de sa componction satisfaite de tous les jours, mais aussi dans une attitude étrange – qui ne lui était pas du tout habituelle – de lassitude mortelle. Et je compris pourquoi je ne l'avais pas reconnu aussitôt.

J'allai derrière le monument et y restai quelque temps. Quand je ressortis, Travine n'était plus là. Il n'était pas non plus sur le trottoir, il était parti incroyablement vite, et si j'avais été dans un état différent, j'aurais peut-être douté, tout simplement, de l'avoir rencontré. Mais tout ce que j'avais vu autour de moi – le landau poussé par une négresse en châle vert, le kiosque à journaux aux couleurs bigarrées, l'arc-en-ciel – m'était apparu d'une façon si nette que je ne doutais pas que Pavel Fédorovitch venait d'être assis sous les arbres en regardant droit devant lui la porte vitrée avec son inscription « Liqueurs de marque ». Donc, il était revenu et peut-être était-il déjà à la maison. Mais où donc était sa valise ? S'il n'a pas déjeuné, Dora lui aura-t-elle servi à manger ? Voici, enfin, le moment venu de lui dire tout, de rester seule avec lui, face à face. De le faire revenir sur cette place au moment où les deux autres allaient se quitter.

Je courais vers la maison, sentant qu'il fallait se dépêcher, que la vie qui était là, quelque part à côté, allait me dépasser ; que les nuages allaient couvrir le ciel, que le crépuscule allait tomber ; que les becs de gaz allaient s'allumer, comme pour leur rappeler qu'il était temps de se séparer. Je laissai se fermer, lourdement, la porte d'entrée, l'ascenseur s'éleva, lent et silencieux. J'avais une clef. J'ouvris la porte et je vis le pardessus et le chapeau de Pavel Fédorovitch accrochés à la patère.

Je me souviens que je passai la main sur la manche du pardessus – il était complètement trempé. Je pénétrai dans le salon. Le piano demeurait ouvert, le lilas blanc de la veille avait roussi et penchait. Je m'approchai de la porte du bureau. Il n'y avait, là-bas, aucun bruit.

– Pavel Fédorovitch, dis-je doucement.

Il n'y eut pas de réponse.

– Pavel Fédorovitch, puis-je entrer ? Et je frappai deux fois.

A ce moment, j'avais le sentiment très

net que je n'aurais même pas le temps
de m'installer dans le fauteuil de cuir
près de la table, que je dirais tout dès le
pas de la porte, et que s'il me crachait
au visage, je prendrais sur moi et ne dirais rien.

Mais derrière la porte, la réponse ne
venait pas.

Alors j'entrouvris.

Pavel Fédorovitch était assis devant
la table. Le jour était tombé. Il demeurait assis, penché sur le tiroir du milieu
qu'il avait ouvert et y regardait quelque
chose avec attention. Son bras gauche
pendait entre le fauteuil et la table, le
bras droit était posé devant lui.

— Pavel Fédorovitch ! criai-je.

Mais il ne bougea pas.

Alors je vis qu'il était mort, et que sa
main droite, tombée sur la table, serrait
le revolver.

Je criai. Dora, qui, dans la cuisine séparée du bureau par trois portes, n'avait
pas entendu le coup de feu, se précipita
à mon cri. Elle perdit contenance – je ne
sais pas ce qui l'effraya le plus – le ca-
davre de Pavel Fédorovitch assis dans
son bureau, ou mon cri prolongé, qu'elle
n'arrivait pas à arrêter, et qui durait
toujours. Quand j'y pense, j'ai l'impression qu'il dura trois jours. En réalité,
Dora pensa à me jeter de l'eau froide au
visage, et je me calmai. Dix minutes
après, elle m'allongea sur le divan, au
salon, et j'y restai – là encore je ne me
rappelle pas combien de temps, mais
probablement jusqu'au retour de Maria
Nikolaevna, bien que j'aie l'impression,
maintenant, que j'y restai très, très
longtemps et même comme en dehors du
temps lui-même.

Cette demi-heure me semble la plus

insupportable de mon existence, et non seulement de la mienne. Je pense que malgré toute l'horreur et l'angoisse de l'existence, neuf sur dix des êtres humains n'ont jamais connu ce que j'ai connu alors. Entre « c'est arrivé » et « cela aurait pu ne pas arriver », entre « c'est arrivé » et « cela ne pouvait ne pas arriver », mon cœur frémissait et chutait quelque part. Je ne puis ni me rappeler, ni expliquer ce que je ressentais (ou pensais – c'était pareil) alors... A propos de moi-même, du destin, des gens, du bonheur, et de nouveau à propos du destin et même de cette balle que, peu de temps auparavant, j'avais sous la main, avec laquelle je visais dans l'espace et qui, d'elle-même, avait trouvé la place à elle destinée.

– Soyez mon amie, Sonetchka, dit au-dessus de moi une voix que je recon-

naîtrais dans mille ans et dans l'incons-
cience complète – aidez-moi.

En me prenant par les deux mains,
Maria Nikolaevna m'obligea à me lever.
Dans la porte se tenaient des inconnus.

Tout changea, la vie des deux dernières années, l'inquiétude, la filature, tout
était fini, et tout ce qui s'était accompli
s'était accompli sans moi, en dehors de
moi, comme si je n'avais même pas
existé. Je revenais vers ce qui était au
début avec la sensation d'une lassitude
insurmontable dans le cœur et la conscience de mon inutilité totale. Les gens
et les passions étaient passés devant
moi – je les voyais de mon coin, j'aspi-
rais à les rejoindre pour gâcher quelque
chose à quelqu'un, pour aider quelqu'un, pour m'affirmer dans cet acte, et

j'ai été évitée, on ne m'a pas prise dans ce jeu qui s'est terminé par le suicide de Pavel Fédorovitch. Il savait tout avant moi, sans moi il avait compris ce qu'il devait faire, il n'a pas réglé ses comptes avec Ber et Maria Nikolaevna, mais il lui a laissé le passage pour qu'elle continue à vivre comme elle le voulait et à être heureuse avec qui elle voulait. Pour qu'elle fût libre.

Je pris goût à la conversation avec moi-même. En partant de mes monologues d'alors, je suis, peut-être, arrivée à ces Mémoires. Personne ne m'entendait. Pendant ces nuits lunaires de février, je demeurais devant ma fenêtre sans allumer, sans tirer les rideaux. La rue s'argentait. Je croyais voir Pétersbourg, maman, notre vieux et long piano, et de part et d'autre – nos deux lits (pendant les mois d'hiver nous dormions dans la même chambre) – nos deux lits étroits avec leurs couvre-lits en piqué blanc et, attachées aux boules, les icônes que, durant tant d'années, je n'avais pas trouvé le temps d'examiner pour de bon. La lune blanchissait l'asphalte, il gelait un peu. Il me semblait voir mon enfance à N., le portillon grinçant de la cour, le chien du propriétaire qui me faisait peur, la cuisinière qui attendait avec moi que maman rentre dîner après ses leçons, la pauvreté, la tristesse, l'abandon de notre existence. La rue dans Paris était silencieuse et vide ; la lune et le froid étaient derrière la fenêtre. Il me semblait voir la vie bouger à côté, frotter et moudre les êtres humains, mais sans me prendre, quoi que je fisse pour m'imposer.

Derrière la cloison, il n'y avait pas de Pavel Fédorovitch. Maria Nikolaevna était seule, mais les gens qui, pendant ces derniers mois, ne les laissaient pas en tête à tête, continuaient maintenant à l'entourer, nuit et jour. Ils ne lui proposaient pas, comme autrefois, de sortir avec eux, n'exigeaient pas, au dîner, des vins fins, ne parlaient pas de courses, de la tournée d'une troupe viennoise ou de Bourse. Tout simplement ils étaient là – Nersessof et Disman fumaient au salon, dans la chambre Lialia Disman, assise à la turque sur le lit, s'essayait à une broderie, quelqu'un remontait la pendule dans la salle à manger ; dans le bureau de Pavel Fédorovitch son adjoint dans les affaires, ancien avocat et membre de la Douma, faisait des comptes. Et Maria Nikolaevna ne s'en étonnait pas. Le jour de l'enterrement elle revint du cimetière avec eux tous, le lendemain ils étaient de nouveau réunis dès le matin.

Je lui demandai : la présence constante des gens dans la maison ne lui pèse-t-elle pas ? Elle dit que cela lui était égal et que, probablement, elle allait partir bientôt.

L'avocat, Nersessof, Disman disaient entre eux que les affaires de Pavel Fédorovitch avaient chancelé beaucoup ces derniers temps. Maria Nikolaevna le savait. Oui, en effet, les affaires de Pavel Fédorovitch allaient, en dernier lieu, moins bien qu'avant, elle pouvait le pleurer la conscience tranquille en se disant que ce n'était pas elle mais l'argent qui était responsable de sa mort. Et cependant elle savait fort bien ce qui, précisément, en était la cause.

Elle se mit à me parler une semaine après l'enterrement. A ce moment, certains cessèrent leurs visites, et s'il y avait des étrangers, c'était seulement au déjeuner et au dîner. Pendant la nuit, Maria Nikolaevna venait dans ma chambre, s'asseyait sur le lit.

— Vous ne dormez pas, Sonetchka ?

— Non, Maria Nikolaevna.

— Je peux rester un peu ? J'aime bavarder avec vous. Poussez-vous un peu.

Je demeurais couchée, le cœur battant, et je la regardais. La lumière de la chambre voisine tombait sur ses mains. Elle était assise emmitouflée dans une robe de chambre blanche, chaude, avec sa grosse natte dans le dos, et ses mules retombant de ses pieds qui étaient assez grands et hâlés.

— Que dois-je faire, Sonetchka ? disait-elle doucement, en serrant les mains et en me regardant. Voilà que la mort m'a touchée, et cependant je n'arrive pas à perdre le sentiment d'une espèce de bonheur constant. Dieu seul sait d'où il me vient et comment il va se terminer. On peut dire quand même que j'ai eu bien des choses dans mon existence – mais je suis heureuse de l'existence même ! Je ne sais même pas de quoi – de respirer, de chanter, de vivre dans ce monde. Vous me jugez ?

– Non, Maria Nikolaevna.

– ... D'autres diront que je l'ai tué. Mais que puis-je faire si je ne me sens pas coupable ? Et croyez-vous qu'il m'ait jamais jugée ? Au moment dernier, ou à l'avant-dernier, ou à un moment quelconque ? Non, je sais que non, et Dieu le sait aussi... D'où me vient ce sentiment de mon bon droit ? Peut-être que tout le monde l'a, mais les autres le cachent par hypocrisie ?

Je voulais lui répondre. Je réfléchis longtemps, puis je dis :

– Il y a des gens comme ça. Ils ont en

eux une espèce de magnificence. Près d'eux, on a peur un peu (ce n'est rien, Maria Nikolaevna, ne le prenez pas au sérieux). Il est rare qu'on puisse les modifier, les rendre infirmes (en supposant que nous autres sommes infirmes)... Je ne sais l'exprimer : un être heureux, il vit comme au-dessus de tous les autres (et les écrase un peu, bien entendu). Et cela, on n'a même pas à le lui pardonner, parce qu'il l'a comme on a la santé, ou la beauté.

Elle réfléchit et répondit en souriant :

– Tout de même, Sonetchka, pardonnez-le-moi.

Nous nous tûmes toutes les deux. Oh, comme elle me devenait de nouveau inaccessible avec ce sourire !

Et voilà que vint le jour de notre séparation : c'était l'été, les fenêtres étaient grandes ouvertes, l'appartement était loué, les meubles transportés dans un garde-meuble ; Maria Nikolaevna partait avec Ber pour l'Amérique où elle avait signé un contrat pour deux ans.

Rien ne rappelait plus notre vie du temps de Pavel Fédorovitch. Peu à peu, Maria Nikolaevna rompit avec toutes ses anciennes relations, abandonna les affaires de Pavel Fédorovitch à leur sort, renonça aux réceptions, aux sorties, aux calculs d'argent. Elle ne comptait plus que sur elle-même, et cette indépendance la rendait encore plus forte et plus jeune ; il y eut en elle cette espèce de charme qu'on remarque chez les femmes indépendantes dont « la société » a fait son deuil et qui paient cette « société » de leur complète indifférence. Ces temps derniers, elle avait beaucoup travaillé avec moi et avec Ber. Maintenant, je connaissais bien cet homme. Il avait cessé d'être pour moi une énigme.

Il était tout entier dans l'avenir, et cela non pas parce qu'il aurait eu devant lui quelque « carrière » ou qu'il fût doué de quelque talent. Il avait à peine trente ans. C'était un homme taciturne, ardent, et très nerveux, qui comprenait à demi-mot même un interlocuteur de passage, et qui devinait facilement les pensées d'un être proche. Cette intuition un peu surnaturelle remplaçait toutes les autres qualités : la « musicalité » en musique, la poigne pratique dans l'existence. Il ne « promettait » rien, mais en le regardant, en pensant à lui, on avait l'impression (et je n'étais pas seule à l'avoir) qu'il avait peut-être devant lui un destin qui n'était pas tout à fait ordinaire.

Maintenant, il devenait peu à peu

l'accompagnateur et aussi l'impresario de Maria Nikolaevna. Et dans peu de temps il allait devenir son mari. Comme cela arrive très rarement, cet amour laissait transparaître une vérité profonde et fidèle, où il n'y avait de place ni pour leur jalousie, ni pour nos doutes. Maria Nikolaevna l'aimait... Cependant, il me semblait parfois que même sans amour elle aurait été heureuse – vraiment, elle n'avait besoin de personne. Mais elle l'aimait.

Ils partaient, et moi, j'allais m'installer à l'hôtel. Je cherchais du travail. Maria Nikolaevna m'avait fait la promesse de ne pas m'oublier ; elle me laissa de l'argent, elle me recommanda à certains. Et, me serrant dans ses bras, elle me dit que si j'avais envie de retourner à Pétersbourg, cela aussi elle pourrait l'arranger.

Non, je n'avais pas envie de retourner chez maman.

Et la voilà partie ; à la dernière minute, en la regardant, j'eus l'impression qu'elle partait non pas pour l'Amérique des affaires et, en somme, quotidienne, pour y trouver le travail, le succès et le gagne-pain, mais dans quelque pays un peu irréel et évidemment heureux, dont le chemin est interdit aux autres et où on l'attend et où on l'aime depuis longtemps, de même qu'elle aime tout le monde.

Ber qui, autrefois, m'avait prise pour la bonne et m'avait donné deux francs de pourboire, ne me prêtait que peu d'attention et au moment des adieux demeura froid. Moi aussi j'éprouvais envers lui une certaine hostilité. A deux, nous étions à l'étroit auprès de Maria Nikolaevna et je lui laissai le chemin, parce qu'il ne me restait rien d'autre à faire. Maria Nikolaevna me regarda longuement et fixement. Il se peut qu'en me disant adieu elle pensa pour la première fois à moi, à ma vie, à mon amour pour elle.

Sur le quai, je demeurai brisée et épuisée par le passé qui avait fui, sans présent, et avec un avenir obscur et vide. Je revins dans l'appartement sans meubles, je pris ma malle (qui venait encore de Russie), un paquet de livres et de partitions, et je demandai au concierge d'aller chercher un fiacre. A cette époque, les fiacres étaient bon marché à Paris ; tout à coup j'étais devenue inquiète et parcimonieuse — dans la malle j'avais soigneusement rangé tous mes chiffons. On mit la malle à mes pieds, je posai à côté de moi les livres et les partitions. Je traversais la ville et je pensais que ce n'était pas possible, que ce n'était pas le même Paris, que je rêvais, qu'il n'était pas possible que je fusse seule dans le monde entier, seule sans un être humain, sans un rêve, sans ce quelque chose qui permet de vivre parmi vous – êtres humains, bêtes, choses...

Trois années se sont écoulées depuis que j'avais pensé ainsi, et pendant cette période bien des fois j'avais le désir soit de me cacher sous terre, comme une taupe, soit de hurler que tout n'est pas bien, n'est pas équitablement arrangé dans le monde... Maria Nikolaevna est toujours en Amérique.

Elle est mariée à André Grigorievitch et n'a pas l'intention de venir en Europe – elle chante à Philadelphie, tous les deux ans elle part en tournée, et on l'aime particulièrement en Californie.

Elle m'envoie des lettres, des coupures de journaux (où on parle d'elle), quelquefois de l'argent. J'ai un grand besoin d'argent : je gagne peu – je joue du piano dans un petit cinéma, dans l'une des rues qui donnent sur la porte Maillot. Notre orchestre est composé de trois personnes : moi, le violoniste qui est en même temps chef d'orchestre, et le violoncelliste devant qui est aussi posée la batterie. C'est bizarre, mais c'est Nersessof qui m'avait trouvé cet emploi. C'était presque six mois après le départ de Maria Nikolaevna. Peu de temps après il mourut.

Je travaillais depuis près d'un an dans ce cinéma lorsque, soudain, Mitenka arriva à Paris, venant de Russie. Il me rechercha pour me dire que ma maman était morte, et pour me remettre ses boucles d'oreilles avec des turquoises (et qui n'avaient aucune valeur). Elle avait, je crois, une soixantaine d'années. Elle avait pris froid en allant chercher du ravitaillement quelque part. Mon Dieu, cette vie dure et étrange, à moitié oubliée, continuait là-bas ! Là-bas les gens vivaient comme des fourmis ou comme des loups. En un sens d'une façon plus digne que nous ici...

Mitenka était maintenant marié, sa femme était enceinte et on ne sait pourquoi se cachait de tout le monde. Mitenka était toujours le même : il reniflait et ahanait, était mal lavé, mais il était déjà célèbre et d'enfant prodige était devenu un vrai génie.

— Et moi, je joue dans un cinéma, dis-je, parce que j'avais eu envie de parler aussi de moi, sans me contenter de l'écouter.

Il pencha sa tête déplumée et me regarda avec tristesse.

– Et vous n'avez pas honte, dit-il enfin en parlant du nez. Vous n'avez pas
honte, Sonetchka. Nous attendions tellement de vous !

Ma parole, il me confondait avec
quelqu'un d'autre – jamais personne n'a
rien attendu de moi !

Puis il m'invita chez lui, pour me
montrer à sa femme. Elle apparut,
confuse, tenant ses mains sur son ventre.

– Voici cette Sonetchka – dit-il – dont
je t'avais tant parlé (son visage n'ex-
prima rien). Antonovskaya, Sophia...

Il perdit contenance, ayant oublié le
prénom de mon père, et je ne l'ai pas
aidé à sortir de ce mauvais pas ; il est
vrai que tout cela m'était indifférent
depuis bien longtemps.

Vraiment, est-ce la peine de se sentir
blessé par sa propre mère parce qu'on

vous a craché à la figure dès avant votre naissance ? Il est arrivé – et plus
d'une fois – que des offensés de ce genre
aient donné des êtres vrais, des êtres
bons et fiers. L'affaire n'est pas dans la
naissance, mais dans quelque chose
d'autre. Et on aura beau me dire que
n'importe quel moucheron n'a pas le
droit de prétendre à la magnificence
universelle, je ne cesserai d'attendre et
de me dire : tu ne peux pas mourir, tu ne
peux pas te reposer, il y a encore un être
qui se promène sur terre. Il y a encore
une dette que, peut-être, tu pourras un
jour recouvrer... si Dieu existe.

Grands romans

La littérature conjuguée au pluriel, pour votre plaisir. Des œuvres de grands romanciers français et étrangers, des histoires passionnantes, dramatiques, drôles ou émouvantes, pour tous les goûts...

ADLER Philippe
Bonjour la galère !
1868/1
Les amies de ma femme
2439/3

ANDREWS™ Virginia C.
Fleurs captives

Dans un immense et ténébreux grenier, quatre enfants vivent séquestrés. Pour oublier leur détresse, ils font de leur prison le royaume de leurs jeux, le refuge de leur tendresse, à l'abri du monde. Mais le temps passe et le grenier devient un enfer. Et le seul désir de ces enfants devenus adolescents est désormais de s'évader... à n'importe quel prix.

- Fleurs captives
1165/4
- Pétales au vent
1237/4
- Bouquet d'épines
1350/4
- Les racines du passé
1818/5
- Le jardin des ombres
2526/4
La saga de Heaven
- Les enfants des collines
2727/5

Les enfants des collines, c'est l'envers de l'Amérique : la misère à deux pas de l'opulence. Dans la cabane sordide où elle vit avec ses quatre frères et sœurs, Heaven se demande comment ses parents ont eu l'idée de lui donner ce prénom : «Paradis». Un jour, elle apprendra le secret de sa naissance, si lourd que la vie de son père en a été brisée, mais si beau qu'elle croit naître une seconde fois.

- L'ange de la nuit
2870/5
- Cœurs maudits
2971/5
- Un visage du paradis
3119/5
- Le labyrinthe des songes
3234/6
Ma douce Audrina
1578/4

Etrange existence que celle d'Audrina ! Sur cette petite fille de sept ans, pèse l'ombre d'une autre : sa sœur aînée, morte il y a bien longtemps dans des circonstances tragiques et qu'elle est chargée de faire revivre.

Aurore
Un terrible secret pèse sur la naissance d'Aurore. Brutalement séparée des siens, humiliée, trompée, elle devra payer pour les péchés que d'autres ont commis. Car sur elle et sur sa fille Christie, plane la malédiction des Cutler...

- Aurore
3464/5
- Les secrets de l'aube
3580/6
- L'enfant du crépuscule
3723/6
- Les démons de la nuit
3772/6
- Avant l'aurore
3899/5 (Avril 95)

ATTANÉ Chantal
Le propre du bouc
3337/2

AVRIL Nicole
Monsieur de Lyon
1049/2
La disgrâce
1344/3

Isabelle est heureuse, jusqu'au jour où elle découvre qu'elle est laide. A cette disgrâce qui la frappe, elle survivra, lucide, dure, hostile, adulte soudain.

Jeanne
1879/3

Don Juan aujourd'hui pourrait-il être une femme ? La belle Jeanne a appris, d'homme en homme, à jouir d'une existence qu'elle sait toujours menacée.

L'été de la Saint-Valentin
2038/1
La première alliance
2168/3
Sur la peau du Diable
2707/4
Dans les jardins
de mon père
3000/2
Il y a longtemps
que je t'aime
3506/3

L'amour impossible entre Antoine, 14 ans, et Pauline, sa belle-mère.

BACH Richard
Jonathan Livingston
le goéland
1562/1 Illustré
Illusions/Le Messie
récalcitrant
2111/1
Un pont sur l'infini
2270/4

Grands romans

BELLETTO RENÉ
Le revenant
2841/5
Sur la terre comme au ciel
2943/5
La machine
3080/6 (Mars 95)
L'Enfer
3150/5

Dans une ville déserte et terrassée par l'été, Michel erre. C'est alors qu'une femme s'offre à lui, belle et mystérieuse...

BERBEROVA NINA
Le laquais et la putain
2850/1
Astachev à Paris
2941/2
La résurrection de Mozart
3064/1
C'est moi qui souligne
3190/8
L'accompagnatrice
3362/4
De cape et de larmes
3426/1
Roquenval
3679/1
A la mémoire de
Schliemann
3898/1 (Avril 95)

BERGER THOMAS
Little Big Man
3281/8

BEYALA CALIXTHE
C'est le soleil qui m'a brûlée
2512/2

BLAKE MICHAEL
Danse avec les loups
2958/4

BORY JEAN-LOUIS
Mon village à l'heure allemande
81/4

BRAVO CHRISTINE
Avenida B.
3044/3

BROUILLET CHRYSTINE
Marie LaFlamme
- Marie LaFlamme
3838/6

En 1662, à Nantes, la mère de Marie est condamnée au bûcher. Pour sauver sa fille, elle lui fait épouser un riche et cruel armateur, Geoffroy de St Arnaud. Mais Marie aime Simon

TERROIR

Romans et histoires vraies d'une France paysanne qui nous redonne le goût de nos racines.

BRIAND CHARLES
De mère inconnue
3591/5
Le destin d'Olga, placée comme domestique chez des paysans angevins et enceinte à 14 ans.

CLANCIER G.-E.
Le pain noir
651/3

GEORGY GUY
Voir aussi page 26
La folle avoine
3391/4
Orphelin, Guy-Noël vit chez sa grand-mère, une vieille dame qui connaît tout le folklore et les légendes du pays sarladais.

JEURY MICHEL
Le vrai goût de la vie
2946/4
Une odeur d'herbe folle
3103/5
Le soir du vent fou
3394/5
Un soir de 1934, alors que souffle le vent fou, un feu de broussailles se propage rapidement et détruit la maison du maire...

LAUSSAC COLETTE
Le sorcier des truffes
3606/1

et pour conquérir sa liberté, elle est prête à tout. Même à s'embarquer pour la Nouvelle-France, qui va devenir le Canada...

- Nouvelle-France
3839/6 (Mai 95)

BULLEN FIONA
Les amants de l'équateur
3636/6

MASSE LUDOVIC
Les Grégoire
Histoire nostalgique et tendre d'une famille, entre Conflent et Vallespir, en Catalogne française, au début du siècle.

- Le livret de famille
3653/5
- Fumées de village
3787/5
- La fleur de la jeunesse
3879/5 (Mars 95)

PONÇON JEAN-CLAUDE
Revenir à Malassise
3806/3

SOUMY JEAN-GUY
Les moissons délaissées
3720/6
Mars 1860. Un jeune Limousin quitte son village natal pour aller travailler à Paris, dans les immenses chantiers ouverts par Haussmann. Chaque année, la pauvreté contraint les gens de la Creuse à délaisser les moissons... Histoire d'une famille et d'une région au siècle dernier.

VIGNER ALAIN
L'arcandier
3625/4

VIOLLIER YVES
Par un si long détour
3739/4

Grands romans

BYRNE Beverly
Gitana
3938/8 (Juin 95)

CAILHOL Alain
Immaculada
3766/4 Inédit

Histoire d'un écrivain paumé, en proie au mal de vivre. Un humour désespéré teinte ce premier roman d'un auteur bordelais de vingt ans, qui s'inscrit dans la lignée de Djian.

CAMPBELL Naomi
Swan
3827/5

CATO Nancy
Lady F.
2603/4
Tous nos jours sont des adieux
3154/8
Sucre brun
3749/6
Marigold
3837/2

CHAMSON André
La Superbe
3269/4
La tour de Constance
3342/7

CHEDID Andrée
La maison sans racines
2065/2
Le sixième jour
2529/3

Le choléra frappe Le Caire. Ignorante et superstitieuse, la population préfère cacher les malades car, lorsqu'une ambulance vient les chercher, ils ne reviennent plus. L'instituteur l'a dit : «Le sixième jour, si le choléra ne t'a pas tué, tu es guéri.»

Le sommeil délivré
2636/3
L'autre
2730/3
Les marches de sable
2886/3

L'enfant multiple
2970/3
Le survivant
3171/2
La cité fertile
3319/1
La femme en rouge
3769/1

CLANCIER Georges-Emmanuel
Le pain noir
651/3

Le pain noir, c'est celui des pauvres, si dur, que même les chiens n'en veulent pas. Placée à huit ans comme domestique chez des patrons avares, Cathie n'en connaîtra pas d'autre. Récit d'une enfance en pays Limousin, au siècle dernier.

CLERC Christine
Jacques, Edouard, Charles, Philippe et les autres
3828/5

CLÉMENT Catherine
Pour l'amour de l'Inde
3896/8 (Avril 95)

Le roman vrai des amours de Nehru et de Lady Edwina Mountbatten, l'une des plus grandes dames de l'aristocratie anglaise, femme du dernier des vice-rois des Indes britanniques.

COCTEAU Jean
Orphée
2172/1

COLETTE
Le blé en herbe
2/1

COLOMBANI Marie-Françoise
Donne-moi la main, on traverse
2881/3
Derniers désirs
3460/2

COLLARD Cyril

Cinéaste, musicien, il a adapté à l'écran et interprété lui-même son second roman Les nuits fauves.
Le film 4 fois primé, a été élu meilleur film de l'année aux Césars 1993. Quelques jours plus tôt Cyril Collard mourait du sida.

Les nuits fauves
2993/3
Condamné amour
3501/4
Cyril Collard : la passion
3590/4 (par J.-P. Guerand & M. Moriconi)
L'ange sauvage (Carnets)
3791/3

CONROY Pat
Le Prince des marées
2641/5 & 2642/5
Le Grand Santini
3155/8

CORMAN Avery
Kramer contre Kramer
1044/3

DAUDET
Voir page 23

DeMILLE Nelson
Le voisin
3722/9

DENUZIERE Maurice
Helvétie
3534/9

A l'aube du XIXe siècle, le pays de Vaud apparaît comme une oasis de paix au milieu d'une Europe secouée de furieux soubresauts. C'est cette joie de vivre oubliée que découvre Blaise de Fonsalte, soldat de l'Empire, déjà las de l'épopée napoléonienne. De ses amours clandestines avec Charlotte, la femme de son hôte, va naître une petite fille aux yeux vairons.

La Trahison
des apparences
3674/1

Grands romans

Grands romans

FOSSET JEAN-PAUL
Chemins d'errance
3067/3
Saba
3270/3

FREEDMAN J.-F.
Par vent debout
3658/9

FRISON-ROCHE
Né à Paris en 1906, l'alpinisme et le journalisme le conduisent à une carrière d'écrivain. Aujourd'hui il partage son temps entre de grands reportages, les montagnes du Hoggar et Chamonix.

La peau de bison
715/3
La vallée sans hommes
775/3
Carnets sahariens
866/2
Premier de cordée
936/3

Le mont Blanc, ses aiguilles acérées, ses failles abruptes, son pur silence a toujours été la passion de Jean Servettaz. C'est aussi pour cela qu'il a décidé d'en écarter son fils. Mais lorsque la montagne vous tient, rien ne peut contrarier cette vocation.

La grande crevasse
951/3
Retour à la montagne
960/3
La piste oubliée
1054/3
La Montagne
aux Écritures
1064/2
Le rendez-vous
d'Essendilène
1078/3
Le rapt
1181/4

Djebel Amour
1225/4
En 1870, une jolie couturière épouse un prince de l'Islam. A la suite de Si Ahmed Tidjani, elle découvre, éblouie, la splendeur du Sahara. Décidée à conquérir son peuple, elle apprend l'arabe, porte le saroual et prend le nom de Lalla Yamina.

La dernière migration
1243/4
Les montagnards de la nuit
1442/4
Frison-Roche, qui a lui-même appartenu aux maquis savoyards, nous raconte le quotidien de ces combattants de l'ombre.

L'esclave de Dieu
2236/6
Le versant du soleil
3480/9

GEDGE PAULINE
La dame du Nil
2590/6
L'histoire d'Hatchepsout, reine d'Egypte à 15 ans. Les splendeurs de la civilisation pharaonique et un destin hors série.

GEORGY GUY
La folle avoine
3391/4
Le petit soldat de l'Empire
3696/4
L'oiseau sorcier
3805/4

GOLDSMITH OLIVIA
La revanche
des premières épouses
3502/7

GOLON ANNE ET SERGE
Angélique
Marquise des Anges
2488/7
Lorsque son père, ruiné, la marie contre son gré à un riche seigneur, Angélique se révolte. Défiguré et boiteux, le comte de Peyrac jouit en outre d'une réputation de sorcier. Derrière cet aspect repoussant, Angélique va pourtant découvrir que son mari est un être fascinant...

Le chemin de Versailles
2489/7
Angélique et le Roy
2490/7
Indomptable Angélique
2491/7
Angélique se révolte
2492/7
Angélique et son amour
2493/7
Angélique et le Nouveau Monde
2494/7
La tentation d'Angélique
2495/7
Angélique et la Démone
2496/7
Angélique et le complot des ombres
2497/5
Angélique à Québec
2498/5 & 2499/5
La route de l'espoir
2500/7
La victoire d'Angélique
2501/7

Grands romans

GROULT Flora

Après des études à l'Ecole des arts décoratifs, elle devient journaliste et romancière. Elle écrit d'abord avec sa sœur Benoîte, puis seule.

Maxime ou la déchirure
518/1

Un seul ennui, les jours raccourcissent
897/2

A 40 ans, Lison épouse Claude, diplomate à Helsinki. Elle va découvrir la Finlande et les enfants de son mari. Une erreur ?

Ni tout à fait la même, ni tout à fait une autre
1174/3

Une vie n'est pas assez
1450/3

Mémoires de moi
1567/2

Le passé infini
1801/2

Le temps s'en va, madame...
2311/2

Belle ombre
2898/4

Le coup de la reine d'Espagne
3569/1

L'amour de...
3934/1 (Juin 95)

HARVEY Kathryn

Butterfly
3252/7 Inédit

HEBRARD Frédérique

Auteur de nombreux livres portés avec succès à l'écran ; son œuvre reçoit la consécration avec Le Harem, Grand Prix du Roman de l'Académie française 1987.

Un mari, c'est un mari
823/2

La vie reprendra au printemps
1131/3

La chambre de Goethe
1398/3

Un visage
1505/2

La Citoyenne
2003/3

Le mois de septembre
2395/1

Le Harem
2456/3

La petite fille modèle
2602/3

La demoiselle d'Avignon
avec Louis Velle
2620/4

Le mari de l'Ambassadeur
3099/5

Sixtine est ambassadeur. Pierre-Baptiste est chercheur à l'Institut Pasteur. Opposés, l'aventure les réunit pourtant, au beau milieu d'une révolution en Amérique centrale, et va les entraîner jusqu'au Kazakhstan, en passant par Beyrouth et le Vatican !

Félix, fils de Pauline
3531/2

Le Château des Oliviers
3677/7

Entre Rhône et Ventoux, au milieu des vignes, se dresse le Château d'Estelle, son paradis. Lorsqu'elle décide de le ramener à la vie, elle ne sait pas encore que son domaine est condamné. Aidée par l'amour des siens et surtout celui d'un homme, Estelle se battra jusqu'au bout pour préserver son univers.

HOFFMAN Alice

L'enfant du hasard
3465/4

La maison de Nora Silk
3611/5

HUBERT Jean-Loup

Le grand chemin
3425/3

HUMPHREYS Josephine

L'amour en trop
3788/5

JAGGER Brenda

Les chemins de Maison Haute
2818/9

A 17 ans, Virginia hérite de la fortune des Barthforth. Mais dans cette Angleterre victorienne, une femme peut-elle choisir son destin ? Contrainte d'épouser un homme qu'elle n'aime pas, Virginia se révolte.

La chambre bleue
2838/8

JEAN Raymond

La lectrice
2510/1

JEKEL Pamela

Bayou
3554/9

En 1786, les Doucet s'installent au bayou Lafourche, en Lousiane. Quatre femmes exceptionnelles vont traverser, en un siècle et demi, l'histoire de cette famille.

Columbia
3897/8 (Avril 95)

Du XVIIIe siècle à nos jours, l'épopée des pionniers indiens et européens de l'Oregon. Cinq générations de femmes et d'hommes héroïques et attachants, dont les bonheurs et les drames vont marquer l'histoire de cette immense contrée du nord-ouest des Etats-Unis.

JULIET Charles

L'année de l'éveil
2866/3

KANE Carol

Une diva
3697/6

Grands romans

KAYE M.M.
Pavillons lointains
1307/4 &1308/4

Dans l'Inde coloniale, un officier britannique reçoit l'ordre d'accompagner dans le Rajputana le cortège nuptial des sœurs du maharadjah de Karidkote. Il est loin de s'imaginer que cette mission va décider de toute sa vie.

KENEALLY Thomas
La liste de Schindler
2316/6

Venu en Pologne avec l'armée nazie, l'industriel allemand Schindler a vite prospéré, en faisant fabriquer de la vaisselle émaillée : la main-d'œuvre est bon marché, à Cracovie, en 1943. Mais en faisant travailler des juifs, Schindler les sauve de l'extermination, car Auschwitz-Birkenau est à deux pas.

KOSINSKI Jerzy
L'oiseau bariolé
270/3

Au début de la guerre, un jeune garçon trouve refuge à la campagne. Mais dans ces pays d'Europe de l'Est où tous sont blonds aux yeux bleus, on persécute l'enfant aux cheveux noirs. Bohémien ou juif, il ne peut que porter malheur. Lui, du haut de ses dix ans, essaie de comprendre et de survivre.

KONSALIK Heinz G.
Amours sur le Don
497/5
La passion du Dr Bergh
578/4
Dr Erika Werner
610/3
Aimer sous les palmes
686/3
L'or du Zephyrus
817/2
Les damnés de la taïga
939/4
Une nuit de magie noire
1130/2
Le médecin de la tsarine
1185/2
L'héritière
1653
Bataillons de femmes
1907/6
Clinique privée
2215/3
Conjuration amoureuse
2399/1
La saison des dames
2999/4 Inédit
La vallée sans soleil
3254/5 Inédit
La baie des perles noires
3413/5 Inédit

Un beau jour, Rudolph abandonne tout pour aller s'installer au bout du monde, sur un atoll du Pacifique Sud, en compagnie de la belle Tana'Olu.

LACAMP Ysabelle
Coréenne par sa mère, cévenole par son père, elle revendique sa double appartenance. Également comédienne et chanteuse, elle conjugue tous les talents.

La Fille du Ciel
2863/5

Dans la Chine décadente et raffinée du Xe siècle la trop belle Shu-Meï, fragile mais rebelle, a décidé de prendre en main son destin.

L'éléphant bleu
3209/5
Une jeune fille bien comme il faut
3513/3

L'histoire d'une jeune fille en apparence comblée par la vie, qui tombe amoureuse du meilleur ami de son père. Alors rien ne va plus. Sarah se ronge de culpabilité et devient anorexique. Peut-être parce qu'elle n'a pas d'autre moyen de se révolter ou de s'affirmer.

LAHAIE Brigitte
Les sens de la vie
3916/3 (Mai 95)

Fille de petits restaurateurs de la Beauce, Laure est devenue, par son mariage, une grande bourgeoise. Rejetée par sa belle-famille, elle va tenter de s'imposer, après la mort accidentelle de Luc, en usant de sa fortune et de sa beauté. Mais peu à peu, elle bascule dans la débauche... Un roman initiatique, porté par la rage de vivre, de comprendre et de se trouver.

LEFEVRE Françoise
Le petit prince cannibale
3083/3

Sylvestre, c'est un peu le Petit Prince. Il habite une autre planète, s'isole dans son monde, écoute le silence, officiellement catalogué comme autiste. Il dévore littéralement sa mère. Et elle, tout en essayant de le sortir de cette prison, tente de poursuivre son œuvre d'écrivain. Un livre tragique et superbe.

La première habitude
697/2

Grands romans

McCULLOUGH COLLEEN
Les oiseaux se cachent
pour mourir
1021/4 & 1022/4

Lorsque les Cleary s'installent en Australie, sur un immense domaine où paissent des troupeaux innombrables, la petite Meggie sait déjà qu'un seul homme comptera pour elle. Beau comme un prince, intelligent et doux, Ralph est prêtre et donc rien n'est vraiment possible entre eux. Mais l'amour ne transgresse-t-il pas tous les interdits ?

Tim
1141/3
Un autre nom pour
l'amour
1534/4

Un hôpital dans une île du Pacifique. Et là, le pavillon X, où sont regroupés les soldats que les horreurs de la guerre ont rendu fous. Infirmière, Honora s'occupe avec un dévouement admirable de ces hommes hantés par des images atroces. Jusqu'au jour où l'arrivée de Mike Wilson fait du pavillon X un enfer.

La passion du Dr Christian
2250/6
Les dames de
Missalonghi
2558/3
L'amour et le pouvoir
3276/7 & 3277/7
La couronne d'herbe
3583/6 & 3584/6

McMURTRY LARRY
Texasville
3321/8

MALLET-JORIS
FRANÇOISE

Née à Anvers, fille d'un homme d'État belge et de l'écrivain Suzanne Lilar, elle fait partie de l'académie Goncourt.

Adriana Sposa
3062/5

Divine
3365/4

Jeanne est grosse et heureuse. Mais par défi, elle entame un régime. Et son corps mince devient quelque chose d'étranger. Un roman truculent, plein d'humanité et d'intelligence.

Les larmes
3914/6 (Mai 95)

Sous la Régence, Antoinette, éveille la passion de deux hommes : Sanson, le bourreau de Paris et le duc d'Orléans. Un roman alerte, sur fond d'Histoire.

MARIE-POSA

Eclipse
3189/3

MARKANDAYA KAMALA
Le riz et la mousson
117/2

MARKHAM BERYL
Vers l'ouest avec la nuit
3753/5

MICHAELS FERN
L'autre rive de l'amour
3768/7

MICHAEL JUDITH
Une autre femme
3012/8
Une femme en colère
3300/6 & 3301/6
Farouche
3721/10

Avocate, Anne a été dans son enfance victime d'un viol d'autant plus traumatisant que personne n'a voulu la croire. Lorsque le destin replace son persécuteur, devenu sénateur, sur son chemin, elle va pouvoir enfin se venger.

MILES ROSALIND
Les promesses du péché
3485/7

MILLER SUE
Portraits de famille
3656/7

MONNIER THYDE
Les Desmichels
- Grand-Cap
206/2
- Le pain des pauvres
210/4
- Nans le berger
218/4

Deux bébés naissent à deux mois d'intervalle sur le domaine de Guirande. Firmin, le fils de Laurent Michel en est l'héritier. Nans, l'enfant de la servante, gardera les moutons. Pourtant, le premier conçu, l'enfant de l'amour, c'est lui.

- La demoiselle
222/4
- Travaux
231/4
- Le figuier stérile
237/4

MONSIGNY JACQUELINE
Michigan Mélodie
(Un mariage à la carte)
1289/2

Quelque part, sur une route du Middle West, un camion bringuebalant s'arrête pour prendre une ravissante auto-stoppeuse. Bo, le conducteur, barbu et bâti en athlète. Très vite, il trouve que cette jeune Française est exaspérante. Mais Audrey a décidé de l'épouser...

Le roi sans couronne
2332/6
Gulf Stream
3280/6
Le maître de Hautefort
3857/8 (Février. 95)

Dans le Cotentin à la fin du XIXᵉ siècle, Noémie, jeune femme dynamique et pleine d'esprit va moderniser et sauver le vieux domaine familial. Mais Noémie n'est pas seulement une femme d'affaires et les hommes autour d'elle succombent à son charme.

Grands romans

Grands romans

SHALIT Béatrice
Lisa, Lisa
3389/3

SILVASI Louis
Noël
3571/8 Inédit

STEEL Danielle
Après avoir travaillé dans la mode, Danielle Steel écrit aujourd'hui des romans qui sont autant de best-sellers.

Leur promesse
1075/3
Sur le campus d'Harvard, Michael et Nancy s'éprennent follement l'un de l'autre. Mais Michael est l'héritier de la dynastie Hilliard...

Une saison de passion
1266/4
Un monde de rêve
1733/3
Celle qui s'ignorait
1749/5
Kezia est prisonnière de sa fortune et de son nom. C'est pourquoi elle signe d'un pseudonyme les articles dans lesquels elle fustige la société new-yorkaise. Un homme va bouleverser sa vie...

L'anneau de Cassandra
1808/4
Palomino
2070/3
Son mari la quitte et le monde de Samantha s'écroule. Tout lui rappelle son bonheur. Alors, pour réapprendre à vivre, elle se réfugie dans un ranch en Californie. Là-bas, elle découvrira que l'amour a plus d'un visage.

Souvenirs d'amour
2175/5
Maintenant
et pour toujours
2240/6

SWINDELLS Madge
Ecoute ce que dit le vent
2280/6
Comme des ombres
sur la neige
2899/7

TAN Amy
Le club de la chance
3589/4
La femme du Dieu du feu
3747/7

THIERY Alain
La chirurgienne
3880/6 (Mars 95)

THOMAS Rosie
Le poids des souvenirs
3917/7 (Mai 95)

TOLKIN Michael
The Player
3483/3

TUROW Scott
Le poids de la preuve
3505/9

V. Cécile
Frédérique
3773/4
A travers les amours déçues, la dérive et les rencontres de Frédérique, le portrait d'une génération en quête d'identité. Le premier roman d'une jeune scénariste au talent prometteur.

WHARTON Edith
Le temps de l'innocence
3393/5

WOOD Barbara
Les battements du cœur
2909/6

XENAKIS Françoise
La natte coupée
1790/2
Elle lui dirait dans l'île
2994/3

Pour lecteurs avertis

APOLLINAIRE
Les onze mille verges
704/1

ARSAN Emmanuelle
Toute Emmanuelle
1046/2
Chargée de mission
3427/3

CICCIOLINA
Confessions
3085/3 Illustré

DEVEREUX Capitaine
Vénus indienne
3807/3

DONOSO José
La mystérieuse disparition de la jeune marquise de Loria
1439/2

DURIES Vanessa
Le lien
3678/3
Récit troublant d'une passion soumise, dans un univers d'un érotisme extrême.

LAHAIE Brigitte
«J'ai été la comédienne érotique la plus célèbre, la mieux payée de France... J'ai presque tout fait sur un écran et bien davantage dans ma vie privée.»

La femme modèle
3102/3 Inédit

LAUR
Joy
1467/2
Joy e
1703/2
Le reto
3388/3

McNE
9 sema
2259/2

Photocomposition Assistance 44-Bouguenais
Achevé d'imprimer en Europe (France)
par Brodard et Taupin à La Flèche (Sarthe)
le 31 mars 1995. 1467 L-5
Dépôt légal mars 1995. ISBN 2-277-23362-5
1er dépôt légal dans la collection : oct. 1992

Éditions J'ai lu
27, rue Cassette, 75006 Paris
Diffusion France et étranger : Flammarion